P9-AOZ-172

DOLORES DE CABEZA Y MIGRAÑAS

DOLORES DE CABEZA Y

MIGRAÑAS

Conozca los distintos tipos de dolor

de cabeza y cómo prevenirlos y tratarlos

Jonathan M. Berkowitz

Colección: Guías Prácticas de Salud, Nutrifarmacia y Medicina Natural
www.guiasbrevesdesalud.com

Título: Dolores de cabeza y migrañas
Subtítulo: Conozca los distintos tipos de dolor de cabeza y cómo prevenirlos y tratarlos
Autor: © Jonathan M. Berkowitz
Traducción: Eva Montero García

Doña Juana I de Castilla 44, 3° C, 28027 Madrid
www.nowtilus.com

Editor: Santos Rodríguez
Coordinador editorial: José Luis Torres Vitolas

Diseño y realización de cubiertas: Carlos Peydró
Diseño del interior de la colección: JLTV
Maquetación: Claudia Rueda Ceppi

ISBN-13: 978-84-9763-448-9
Fecha de edición: Marzo 2008

Printed in Spain
Imprime: Estugraf impresores S.L.
Depósito legal: M-6759-2008

Índice

Introducción 9

1. El dolor de cabeza 13

2. Tipos comunes de dolor de cabeza 33

3. Suplementos naturales 57

4. Terapias 107

5. Medicamentos 141

Conclusión 161

Índice analítico 167

Nutrifarmacias *online* 171

INTRODUCCIÓN

Levante la mano si jamás ha padecido un dolor de cabeza. Imagino que si está leyendo este libro ha tenido más dolores de cabeza de los que quisiera. Por lo que a mí respecta, aspiraría a ver muy pocas manos alzadas. Sin embargo, no es un secreto que al menos el 90% de la población padece como mínimo un dolor de cabeza al año. Este libro no es para aquellos que lo padecen una vez al año. Por el contrario, esta guía está dirigida a aquellas personas cuyos dolores de cabeza afectan a su vida cotidiana. Está dirigida a ese 40% de la población que le diría que sus dolores de cabeza son agudos e inhabilitantes. Es para aquellas personas cuyos dolores les impiden llevar una vida normal semanalmente o incluso casi a diario. Aunque pueden alterar sustancialmente la vida de una persona, la buena noticia es que la inmensa mayoría de los dolores de cabeza son

benignos y pasajeros y no son sintomáticos de alteración mayor.

Tal vez lo principal que hay que entender acerca de los dolores de cabeza sea por qué tienen lugar y qué se puede hacer para prevenirlos y tratarlos: ese el propósito principal de este libro. Un propósito más importante incluso es ayudarle no solo a identificar y eliminar de su vida los potenciales desencadenantes del dolor de cabeza, sino facilitarle medios naturales para el tratamiento exitoso del mismo cuando se produzca. El capítulo 1 está dedicado a describir los dolores de cabeza y a identificar qué síntomas presenta el dolor de cabeza típico frente a aquellos dolores que hacen necesaria la atención médica. También se explica en él cómo la dieta y las emociones son factores que influyen en el dolor de cabeza. En el capítulo 2 aprenderá los síndromes básicos del dolor de cabeza, como migraña, tensión y cefaleas en racimo. El Capítulo 3 está dedicado a las vitaminas, los minerales y los suplementos de plantas frente al dolor de cabeza y los estudios que sustentan la defensa de su uso y el Capítulo 4 describe diversas terapias alternativas frente al dolor de cabeza que han sido empleadas con éxito, como el ejercicio, la acupuntura o el *biofeedback*. Finalmente, el Capítulo 5 aborda el tratamiento farmacológico del dolor de cabeza.

1

El dolor de cabeza

El dolor de cabeza o cefalea es uno de los más frecuentes. Habitualmente es simplemente eso, un dolor de cabeza (en la mayoría de los casos se trata de un dolor tensional o de una migraña). En otras ocasiones, como más adelante se verá, puede ser el síntoma de una alteración más grave.

Origen, síntomas y localización

A muchas personas les sorprenderá saber que la mayor parte del cerebro y la cabeza no sienten dolor, y únicamente el cuero cabelludo, los senos durales y los vasos sanguíneos pueden percibirlo. Los senos durales son como largas venas de la cabeza que transportan sangre fuera del cerebro. Mientras los investigadores aún se cuestionan de dónde procede el dolor de cabeza, los científicos sospechan que algunos dolores de cabeza se originan en la parte interior y profunda del cerebro, en una región denominada "cerebro medio".

Solo algunas estructuras del cráneo pueden sentir dolor realmente. Como se ha señalado, algunas de las arterias y venas pueden experimentarlo, y se sabe que el dolor tiene lugar cuando las mismas están distendidas, inflamadas o en tensión. Lo mismo sucede respecto a los nervios craneales, que pueden transmitir dolor desde la cara o enviar señales de dolor al cerebro cuando se encuentran lesionados o inflamados.

Otro mecanismo del dolor de cabeza tiene su origen en la meninge, la resistente estructura que recubre el cerebro a modo de sábana. El dolor tiene lugar cuando la misma se inflama o es comprimida. La causa típica de irritación de la meninge se observa en la meningitis, una infección de la meninge causada por bacterias o virus.

Obviamente, el síntoma más corriente del dolor de cabeza es el propio dolor, que puede localizarse en una zona específica de la cabeza o ser generalizado. Aunque el dolor pueda ser el síntoma más común, muchos dolores de cabeza van acompañados de otros signos, como fatiga, alteraciones visuales, náuseas y vómitos. Uno de los dolores de cabeza más comunes es la migraña, cuyos síntomas clásicos incluyen dolor pulsátil, alteraciones visuales y náuseas con o sin vómito.

Aunque los dolores de cabeza pueden presentar toda una variedad de síntomas, diferentes tipos de dolor de cabeza presentan con frecuencia síntomas típicos. La evolución y duración del dolor de cabeza puede ser de ayuda para el diagnóstico de su causa. Por ejemplo, en el caso del dolor de cabeza común por tensión, el dolor aparece gradualmente en el transcurso de unos minutos u horas. El dolor propio de la migraña evoluciona a lo largo de unas cuantas horas, puede durar desde algunas horas a varios días y tiende a mejorar con el sueño. En sentido inverso, el dolor asociado a un aneurisma a menudo se manifiesta como un "trallazo", experimentándose súbitamente un dolor muy intenso. Un aneurisma es una porción de vaso sanguíneo anormalmente deformado y debilitado que puede romperse sin previo aviso. Algunas personas nacen con ello, mientras que en otras pueden ser consecuencia de alguna enfermedad.

En la mayor parte de los casos, la localización del dolor de cabeza suele ser vaga y no se corresponde exactamente con el lugar donde verdaderamente se origina el dolor. No obstante, en los casos de dolor de cabeza generados por desórdenes inflamatorios, por ejemplo la arteritis, el paciente puede localizar con gran precisión la fuente de su dolor. En este caso, la molestia suele localizarse directamente sobre el vaso afectado. Los dolores de senos o dientes también provocan molestias en un área relativamente reducida.

Diagnóstico

Evidentemente, no es preciso ser una eminencia para decirle a un paciente: "Usted sufre un dolor de cabeza". Sin embargo, descubrir qué tipo de dolor de cabeza padece sí exige cierto esfuerzo y reflexión. Tal vez una de las principales pistas respecto a la gravedad de la alteración es la duración de los síntomas. Por ejemplo, el caso de un paciente que acude a la consulta del especialista con el primer dolor de cabeza de su vida resulta más alarmante que el de quien se queja del mismo tipo de dolor desde hace treinta años. En definitiva, cuanto más recientes son los síntomas, mayor es la probabilidad de que este dolor sea signo de alguna alteración orgánica.

Al consultar al médico a causa de dolores de cabeza, debería esperar que le hicieran un historial completo y un examen neurológico. También podría ser preciso un estudio mediante escáner o resonancia magnética para descartar otros problemas. Puesto que algunos dolores de cabeza están provocados por hipertensión, es necesario que se le tome la tensión. Además se deben examinar los ojos para descartar un glaucoma, una causa ocasional del dolor de cabeza.

Cuando un dolor de cabeza no es solo un dolor de cabeza

No todos los dolores de cabeza se generan de igual modo. Aunque la inmensa mayoría de ellos son consecuencia bien de la tensión bien de migrañas, hay muchas otras causas que pueden ocasionarlos. Una simple infección vírica es la más común de estas causas. Prácticamente todos hemos experimentado dolor de cabeza al pasar una gripe o un resfriado. Estos dolores, sin embargo, son una molestia ocasional y normalmente se resuelven tan pronto como pasa la enfermedad.

Otros casos clínicos más serios que habitualmente van acompañados de dolor de cabeza son el lupus, la mononucleosis y la enfermedad intestinal inflamatoria. Estos dolores suelen ser recurrentes y crónicos y están asociados con la alteración subyacente. En contra de la creencia popular, la hipertensión rara vez provoca dolor de cabeza, siendo necesarios parámetros muy elevados para que genere dolor. No obstante, la hipertensión es conocida como "el asesino silencioso" y toda la población a partir de cierta edad debe controlarse la presión arterial regularmente. Otras causas inusuales del dolor de cabeza incluyen la ingesta de algunos medicamentos, como las píldoras anticonceptivas.

También se pueden experimentar dolores de cabeza a causa de la sinusitis o el glaucoma. Los dolores faciales generalmente tienen su origen en estructuras localizadas en el rostro o los senos. Por ejemplo, el dolor palpitante por encima o por debajo de los ojos o cerca de la nariz está con frecuencia asociado a la sinusitis. Del mismo modo, el dolor de dientes puede experimentarse tanto a lo largo de la mandíbula como en el maxilar o el oído. A veces los nervios faciales se ven alterados y producen dolores agudos y repentinos tipo descarga eléctrica. Conocidos como "neuralgias", las alteraciones en los nervios pueden causar algunos de los dolores faciales más intensos.

En la mayor parte de las ocasiones el dolor de una neuralgia se presenta sin previo aviso. Sin embargo, la aparición de este tipo de dolor también puede desencadenarse al masticar. El dolor al masticar también puede estar causado por un síndrome de la articulación temporomandibular, arteritis o alteraciones dentales. Indudablemente, el dolor de muelas y dientes es el más común de los dolores faciales; puede experimentarse casi en cualquier parte del rostro y a menudo se desencadena al comer, especialmente alimentos o líquidos fríos o calientes. El dolor asociado al glaucoma afecta a menudo al ojo y puede ir acompañado de náuseas y vómitos.

Afortunadamente, la inmensa mayoría de los dolores de cabeza no suponen sino una molestia. Sin embargo, algunos de ellos pueden ser indicativos de la existencia de otra alteración más seria.

Siempre que un profesional de la salud se enfrente a una queja por dolor de cabeza debe descartar la existencia de alteraciones graves antes de etiquetar el dolor como "dolor por tensión" o "migraña".

De entre las más graves, pero afortunadamente raras, causas del dolor de cabeza, las más importantes a considerar son el tumor cerebral, la meningitis, la arteritis de la temporal y la hemorragia subaracnoidea. A pesar de que estas causas son inusuales, dada su grave naturaleza, se analizan por separado.

A veces, el dolor de cabeza está relacionado con un vaso sanguíneo dañado, como el clásico ejemplo de la arteritis de la temporal. Esta rara condición supone una enfermedad inflamatoria dolorosa de la arteria temporal. Suele suceder en la séptima década de vida y afecta a las mujeres en mayor medida que a los hombres. Los síntomas clásicos incluyen fiebre, dolor de cabeza, dolores corporales, pérdida de peso y dolor de mandíbula al comer. Es importante un diagnóstico precoz, dado que aproximadamente la mitad de quienes no reciben un tratamiento apropiado llegan a quedarse ciegos. Aunque aproximadamente el 50% de los afectados padecen dolor en la región temporal, el dolor de cabeza puede presentarse en cualquier parte.

A diferencia de lo que sucede en el caso de las migrañas, en que el dolor es descrito como "profundo" en el cerebro sin concretar la zona, mucha gente con arteritis puede localizar con exactitud en qué parte del cráneo se ubica su dolor. Indudablemente, en los casos de arteritis de la temporal, el dolor puede ser tan agudo que incluso el más leve contacto con la luz puede dar lugar a un dolor extremo. Ocasionalmente existe rojez sobre la arteria inflamada acompañada de un nódulo blando. A pesar de que la arteritis de la temporal es una alteración grave que puede ocasionar ceguera en caso de ser desatendida, lo cierto es que responde rápidamente a la medicación, haciendo que sea vital un pronto tratamiento médico.

Otra rara causa del dolor de cabeza es la existencia de un tumor. Si es usted hipocondríaco puede pensar cuando tenga un dolor de cabeza que se trata de un tumor cerebral. Afortunadamente, la inmensa mayoría de los dolores de cabeza no son dañinos y los tumores cerebrales son sumamente inusuales. Una señal de alarma son los dolores de cabeza que comienzan por la mañana y van aumentando a lo largo del día. Otro síntoma son los dolores que llegan a interrumpir el sueño del individuo, algo que manifiesta aproximadamente el 10% de quienes tienen un tumor cerebral.

El vómito es otra señal, especialmente cuando se produce durante días o semanas previamente al inicio del dolor de cabeza. Muchos tumores cerebrales, sin embargo, no producen dolor alguno y solo resultan evidentes cuando ya se encuentran en un estadio avanzado. Cuando un tumor causa dolor de cabeza, generalmente el dolor va y viene y es de intensidad moderada. El dolor asociado al tumor cerebral suele ser un dolor sordo que parece proceder de algún lugar en las profundidades del cerebro. A menudo empeora al realizar algunas maniobras, como incorporarse, toser, inclinarse o girarse.

Un caso que simula los síntomas del tumor cerebral es el pseudotumor cerebri. Este es un mal poco común causado por una elevada presión intracraneal, cuyas principales víctimas son mujeres jóvenes, con frecuencia obesas. Aparte de dolores de cabeza, quienes lo padecen pueden experimentar alteraciones visuales.

Desde el punto de vista físico, los signos más preocupantes de un tumor cerebral son los déficit de los nervios craneales, que emergen desde el tronco del cerebro y normalmente controlan funciones del cuello para arriba, como la dilatación de la pupila. Otra señal de que el paciente puede tener una enfermedad grave es el incremento de la frecuencia del dolor de cabeza en alguien que raramente lo ha padecido.

La meningitis es otra causa grave del dolor de cabeza. Aunque todos hemos oído hablar de esta infección de la membrana protectora del cerebro, potencialmente mortal, la meningitis es, afortunadamente, una rareza médica. No obstante, dado el potencial de producir la muerte que tiene esta enfermedad, debería conocer algunos de sus síntomas más evidentes. El paciente enfermo de meningitis se queja de rigidez de cuello con dolor de cabeza y fiebre. Si usted o alguien de su entorno presentan fiebre o rigidez de cuello junto con dolor de cabeza deberían acudir inmediatamente al servicio de urgencias más cercano para que les evalúen. A pesar de que la meningitis es una alteración grave que puede poner en peligro la vida, normalmente puede tratarse con éxito.

El dolor de cabeza intenso unido a la rigidez de cuello también puede darse cuando hay una hemorragia cerebral. La hemorragia en el cerebro o en el interior del cráneo puede tener lugar por varias causas, por ejemplo, un golpe o la ruptura de un aneurisma. Esta ruptura puede ir acompañada por dolor de cabeza y rigidez de cuello sin fiebre, en tanto que quienes han sufrido un golpe suelen presentar otros síntomas, como debilidad en alguna extremidad (brazos o piernas) o parálisis (o ambas).

Signos de alarma

Así pues, ¿cómo diferenciar un dolor de cabeza "benigno" de otro que represente una alteración más seria? Sin duda alguna, los dolores de cabeza suponen todo un reto para los facultativos a la hora de emitir un diagnóstico, dada la variedad de tipos de dolor de cabeza, así como la diversidad de síntomas. En general se tienen en cuenta

la localización y el tiempo como algunos de los factores más importantes. También hay que considerar las situaciones que hacen mejorar o empeorar el dolor. Curiosamente, la intensidad del dolor rara vez ofrece pistas respecto a la causa del dolor de cabeza. Algunas personas sufren dolores de cabeza muy intensos, pero no tienen ninguna otra patología. Por el contrario, enfermos con un tumor cerebral pueden tener molestias leves o no experimentar dolor de ningún tipo.

Entre los síntomas que resultan más alarmantes son aquellos en los que el dolor, de cabeza o de rostro, está asociado a una pérdida de sensibilidad facial.

Algo que facilita el diagnóstico de los dolores de cabeza es saber que muchos siguen patrones predecibles. Por ejemplo, el dolor típico de cabeza por aumento de la tensión es descrito habitualmente como una dolorosa banda prieta que se siente como procedente del interior profundo del cráneo. Aunque la inmensa mayoría de los dolores de cabeza suelen mostrarse, en última instancia, como no sintomáticos de otra enfermedad subyacente, a continuación se relacionan varios signos de alarma que pueden indicar una alteración más seria:

* Vómito antes del dolor de cabeza.

* Que se trate del primer dolor de cabeza agudo que sufre una persona.

* Fiebre con dolor de cabeza.

* Que el dolor sea de tal intensidad que despierte al paciente cuando duerme.
* Que el dolor se presente inmediatamente tras el despertar.
* Que el dolor se produzca como resultado de incorporarse, toser, inclinarse o girarse.
* Nuevo dolor de cabeza después de los 55 años.
* Dolor de cabeza que empeora a lo largo de días o semanas.
* Un dolor descrito como "el peor" experimentado jamás.
* El dolor de cabeza asociado con déficit neurológico.

La dieta y los dolores de cabeza

No debería sorprender que muchas personas culpen a determinados alimentos de causarles dolor de cabeza. Sin duda, el dolor de cabeza puede ser una manifestación de la sensibilidad o alergia a algún alimento y sabemos que mucha gente con migrañas puede identificar ciertos alimentos como detonantes. Según revela un estudio publicado en *The Lancet*, el 66% de aquellos que padecen migrañas severas tienen alergias alimentarias. La lista de comidas y aditivos asociados al dolor de cabeza es extensa. Por ejemplo, el triptófano se ha relacionado con las migrañas, observación que fue demos-

trada por un grupo de investigadores que trataron a 10 mujeres con migrañas con una dieta baja en triptófano. Las participantes del estudio manifestaron reducción de los síntomas de las migrañas con la dieta. Del mismo modo, el edulcorante artificial aspartamo ha recibido atención considerable como detonante de dolores de cabeza. Un estudio del Centro Médico Montefiore, en Nueva York, analizó el papel de la dieta en los dolores de cabeza, y encontró que el 8,3% de los participantes identificaban el aspartamo como causa. De modo similar, el alcohol fue considerado causante del dolor de cabeza por el 49,7% de los participantes. A pesar de que la lista siguiente se encuentre lejos de ser completa, representa la mayoría de comidas, aditivos y circunstancias ligadas a la alimentación que pueden ser detonantes:

* Aminas
* Aspartamo
* Cafeína
* Chocolate
* Hipoglucemia
* Helado
* Intolerancia a la lactosa
* L-triptófano
* MSG (glutamato monosódico)
* Nitratos
* Sal
* Azúcar, refinados

Dado que las alergias e intolerancias alimentarias juegan un papel importante en el dolor de cabeza, especialmente en las migrañas, no es sorprendente que múltiples estudios hayan demostrado que determinadas dietas pueden ayudar a quienes los padecen.

Una ingesta elevada de carbohidratos genera un aumento de la serotonina y varios investigadores han constatado de que las dietas ricas en carbohidratos pueden ayudar a quienes padecen migrañas.

Por ejemplo, un grupo de científicos puso a siete pacientes con migrañas a seguir una dieta baja en proteína-triptófano y alta en carbohidratos. En el grupo de migraña clásica se experimentaron síntomas de mejoría; sin embargo, no se detectó mejoría significativa en los pacientes con migraña común. De conformidad con los autores, el efecto aparentemente positivo en el grupo de migraña clásica podría deberse a una ingesta reducida de alimentos detonantes de la migraña y/o a un incremento de los niveles de serotonina en el cerebro.

En otro estudio de Israel, los investigadores notificaron un "notorio alivio clínico" cuando se suministró una dieta libre de proteínas de la leche a pacientes con intolerancia a la lactosa que padecían migrañas.

Por ello, si usted padece dolores de cabeza, sería totalmente recomendable que se sometiera a un estudio completo de evaluación nutricional por parte de algún experto en dietas. Resulta especialmente útil llevar un diario de "comidas-dolores de cabeza". Esto no es más que una lista de comidas ingeridas diariamente con un registro de síntomas de dolor de cabeza, que puede ayudarle a descubrir si sus dolores de cabeza tienden a darse después de haber ingerido determinado tipo de alimentos.

Una vez se haya llevado a cabo tal observación, el alimento en cuestión puede ser retirado de la dieta y observar de nuevo la frecuencia con que se presentan los síntomas. Posteriormente, el alimento puede reintroducirse en la dieta llevando a cabo observaciones similares respecto al dolor de cabeza. A través de un proceso de eliminación, muchas personas se dan cuenta de que determinados alimentos empeoran sus dolores de cabeza, en tanto que otros los alivian. Por supuesto, es muy recomendable encontrar a algún profesional de la salud experimentado en evaluación nutricional, dado que su ayuda sería especialmente valiosa en el seguimiento de este proceso.

G
V

2

Tipos comunes de dolor de cabeza

La clasificación de dolores de cabeza llevada a cabo por la Sociedad Internacional de Dolores de Cabeza establece más de 60 tipos diferentes. Aquí solo se revisan los más comunes, los que afectan a la mayoría de quienes sufren dolor de cabeza.

Cefaleas en racimo

Las cefaleas en racimo son un tipo de dolor de cabeza vascular que se caracteriza por breves pero intensos periodos de dolor y que tiene lugar por encima o por debajo de los ojos. Muchos de estos ataques son de corta duración, pero pueden ocurrir frecuentemente, hasta tres veces diarias durante uno o dos meses. Se dan en hombres más que en mujeres y tienden a suceder tanto crónicamente como episódicamente, con más dolores que tienen lugar según un patrón regular o circadiano. Las crisis se caracterizan habitualmente por intensos dolores nocturnos.

Lo más característico de estas cefaleas es el dolor, que a menudo es agudo, intenso y persistente, generalmente alcanzando el punto álgido en tres o cinco minutos. El dolor puede ser tan repentino e intenso que algunas personas dicen que es como si les hubiera caído una bomba en la cabeza. El dolor de las cefaleas en racimo tiende a afectar solo a un lado de la cabeza, durando los episodios estándar entre media hora y dos horas. La congestión nasal, los ojos enrojecidos, las náuseas y el lagrimeo se ven con frecuencia en este tipo de cefaleas.

A menudo, lo que diferencia el dolor de la cefalea en racimo de una migraña es la respuesta frente al mismo: alguien con migraña tiende a echarse en la cama y permanecer inmóvil, en tanto que el paciente con cefaleas en racimo con frecuencia da vueltas por la habitación. En la modalidad episódica, hay un periodo de crisis intenso, que puede durar dos meses. Normalmente, este es seguido por un periodo de remisión o de ausencia de crisis. En las crónicas, las crisis son más persistentes, con periodos de remisión prolongados. En aproximadamente el 70% de los afectados, el alcohol es percibido como desencadenante. Muchos pacientes confirman que sus crisis se repiten a la misma hora cada día. Mientras muchos ataques de cefaleas en racimo empiezan durante el día, aproximadamente la mitad tiene lugar durante la noche, provocando que la persona se despierte y perturbando su sueño.

Se cree que las cefaleas en racimo son consecuencia de alteraciones en el hipotálamo y el núcleo supraquiasmático, profundas estructuras internas del cerebro. La naturaleza rítmica de las cefaleas en racimo implica estas estructuras y los ritmos circadianos que las mismas controlan. Los ritmos circadianos están controlados por el reloj biológico interno e influyen en muchos aspectos, como el sueño o la presión arterial. Indudablemente, las cefaleas en racimo se dan, con frecuencia, a una hora determinada del día, así como en una estación concreta, lo que sugiere cierto papel del reloj biológico en esta alteración. Las anormalidades en el reloj biológico son posiblemente una de las razones por las que la "hormona del sueño", la melatonina, puede ayudar en las cefaleas en racimo, tal y como se ha constatado en muchos estudios.

Desde una perspectiva química, mientras muchos neurotransmisores parecen estar involucrados, como en el caso de las migrañas, en el caso del dolor de las cefaleas en racimo se ha puesto de manifiesto la existencia de alteraciones en el metabolismo de la serotonina. Por último, aunque el dolor de cabeza de las cefaleas en racimo ha sido descrito como "vascular", las investigaciones no han demostrado ninguna anormalidad predecible en el flujo sanguíneo en este desorden.

La terapia está enfocada bien hacia el tratamiento de la crisis aguda, bien hacia la prevención de futuros ataques. El tratamiento tradicional frente a las cefaleas en racimo agudas incluye sumatriptan, prednisona, ergotamina, dihidroergotamina, verapamil, litio y oxígeno inhalado. A pesar de que la mayoría de la población no considera el oxígeno inhalado una medicina, muchos facultativos mostrarían su acuerdo en definirlo como una medicación. Para la prevención de este dolor se han utilizado múltiples agentes con éxito variable, incluidos el verapamil, el litio, los esteroides y la ergotamina. Se ha constatado el buen funcionamiento de las terapias naturales frente a las cefaleas en racimo, incluido el tratamiento con la capsaicina y la melatonina.

Cefalea tusígena

Este dolor suele darse entre los varones y se asocia con estornudos, toses o movimientos al incorporarse. Afortunadamente, solo dura entre segundos o algunos minutos y luego desparece. Aunque habitualmente se trata de un problema inocuo, cerca del 25% de los pacientes que padecen este tipo de dolor tiene una potencial alteración cerebral seria; de ahí que quienes presenten este síndrome deban ser evaluados por un médico.

MIGRAÑA

Junto con los dolores tensionales, las migrañas o jaquecas son padecidas por un 15% de mujeres y un 6% de hombres. Son consideradas un tipo de dolor de cabeza "vascular" y con frecuencia crónico. A pesar de que son dolorosas, generalmente son benignas y no suelen desencadenar afecciones más serias. La migraña típica tiene los siguientes síntomas: fotofobia, dolor de cabeza tipo martilleo, alteraciones ópticas y náuseas o vómitos (o ambos).

Una característica corriente en las migrañas es el "aura", una alteración visual que precede al dolor de cabeza. Otros síntomas inusuales de la migraña incluyen diarrea, confusión y pérdida del conocimiento.

La intensidad del dolor producido por una migraña varía desde suave a agudo. Las migrañas suaves se caracterizan por palpitaciones periódicas, pero no suponen un impacto significativo en la calidad de vida. Por el contrario, las migrañas agudas suponen al menos tres episodios mensuales, con dolores de cabeza severos acompañados de náuseas y vómitos. No es preciso decir que las migrañas agudas tienen un impacto negativo en la calidad de vida de quien las padece. Las migrañas moderadamente severas ocupan una posición intermedia; tales dolores de cabeza son de moderados a agudos, acompañados de náuseas, y pueden interferir con las actividades diarias.

En raras ocasiones, especialmente en el caso de migraña hemipléjica familiar (MHF), los síntomas de la migraña pueden asemejarse a los de una apoplejía, con debilidad, entumecimiento o pérdida de visión. Aunque ocasionalmente estos raros síntomas pueden durar días, lo más normal es que desparezcan en el plazo de una hora. Factores genéticos pueden tener que ver con todo esto (la anormalidad de MHF se localiza en el cromosoma 19, que resulta ser el responsable en el 50% de los casos). Indudablemente, se han descrito múltiples alteraciones genéticas en relación a las migrañas, y parece que el síndrome resulta de una combinación entre factores genéticos y medioambientales.

Si padece migrañas o conoce a alguien que las sufra, tendrá oportunidad de constatar que, con frecuencia, esta alteración se da entre los miembros de una misma familia. Indudablemente, las migrañas han sido heredadas por muchos individuos y las bases genéticas de las mismas están bien documentadas en la literatura científica. Siguiendo un patrón típico, una mujer con un historial de migrañas tiene una madre con similar historial.

Muchas personas padecen migrañas "inusuales", con sensación de fuerte presión similar a los dolores de cabeza tensionales. Esto es, en parte, por lo que algunas autoridades en la materia consideran las migrañas y los dolores de cabeza tensionales manifestaciones del mismo trastorno. Aunque las migrañas pueden presentarse sin previo aviso,

NE
E
100
110
120

algunas personas consideran detonantes el vino tinto, la falta de sueño o la menstruación. Por el contrario, dormir bien, el buen humor y el embarazo alivian los dolores de las migrañas.

Durante décadas se creyó que los dolores de las migrañas eran el resultado de alteraciones en el torrente sanguíneo del cerebro. Es por esto por lo que aún se alude a las migraña como a dolores de cabeza "vasculares". Se consideraba que tanto la dilatación como la constricción de los vasos sanguíneos del cerebro eran responsables, en cierta medida, del síndrome que conocemos como migraña. Estudios que demuestran la reducción del flujo sanguíneo en el cerebro de pacientes que sufren de migrañas dan aún mayor credibilidad a esta teoría. Sin embargo, hay personas que padecen migrañas pero tienen un flujo sanguíneo cerebral normal. A pesar de que hay claras alteraciones del flujo sanguíneo en las migrañas, existe una gran controversia sobre si estas alteraciones son condición suficiente para producir los síntomas de las migrañas o no. Lo que parece deducirse de la literatura actual es que, si bien las alteraciones del flujo sanguíneo se encuentran claramente presentes durante las migrañas, son solo una parte del cuadro.

Un mecanismo posible de la migraña es la llamada "teoría neuronal de la migraña". En este modelo, una oleada de excitación cerebral es seguida por otra de inhibición. Se cree que estas oleadas se generan en el tronco profundo del cerebro y pueden ser uno de los muchos procesos operativos en las migrañas. Muchos otros mecanismos se han visto implicados en las migrañas, cada uno de los cuales cuenta con un grado variable de apoyo en la literatura científica. Estas teorías abarcan desde el papel de la serotonina y la dopamina hasta la activación de un núcleo específico del tronco del cerebro y la activación del sistema nervioso simpático. Algunos investigadores sospechan que, debido a causas genéticas, muchas personas que sufren migrañas no tienen capacidad de regular las concentraciones de neurotransmisores de modo efectivo; este concepto es conocido como la "teoría de la neurona vacía".

El papel de la serotonina en las migrañas ha sido ampliamente estudiado y las alteraciones en el metabolismo de esta sustancia claramente identificadas. La comprensión del papel de la serotonina en las migrañas ha permitido a la industria farmacéutica el desarrollo de medicamentos derivados de los triptanes, que actúan sobre ciertos tipos de receptores de serotonina, ayudando a aliviar los síntomas de la migraña. Este conocimiento ha permitido también a los profesionales de la salud utilizar 5-HTP, un precursor de la serotonina, para tratar la migraña y otros dolores de cabeza. Sin lugar a dudas existen en el cerebro senderos neurales sensibles a la serotonina e interactúan en importantes localizaciones. Estas conexiones relacionadas con la serotonina pueden explicar en parte muchos de estos síntomas asociados a la migraña. Otro neurotransmisor que ha recibido una atención importante en el estudio de los dolores provocados por las migrañas es la dopamina.

Se han descrito tanto hipersensibilidad a la dopamina como alteraciones genéticas en los receptores de la dopamina en individuos que padecen migrañas. La estimulación de la dopamina puede provocar síntomas como los de la migraña. Como resultado de estos hallazgos, se han desarrollado para el tratamiento de las migrañas medicamentos que contrarrestan o antagonizan la acción de la dopamina.

Aunque aún se está investigando cómo se originan las migrañas, parece que un cerebro "hiperexcitable" es el responsable del dolor. Este estado de hiperexcitabilidad probablemente se deba a un desequilibrio entre el estímulo excitante mediado por aminoácidos y el estímulo inhibitorio del ácido gamma-aminobutírico (GABA). En las investigaciones sobre las cefaleas en racimo, algunos expertos culpan de las migrañas a trastornos de la glándula pineal. Los estudiosos han encontrado bajos niveles de melatonina, la hormona secretada por la glándula pineal, en personas con migraña. Finalmente, probablemente las migrañas resulten de varias alteraciones, como deficiencias de magnesio, alteraciones en el óxido nítrico y anormalidades mitocondriales.

Muchos de quienes padecen migrañas "identifican" ciertos detonantes que pueden disparar una crisis. En esta lista de detonantes se incluyen el hambre, la hipoglucemia, el alcohol, el estrés, el ejercicio y la falta de sueño. Sorprendentemente, aunque se sabe que un buen descanso nocturno alivia los síntomas de la migraña, el exceso de sueño puede desencadenar una crisis. Otras personas, sin embargo, experimentan migrañas sin razón aparente.

Como se ha señalado con anterioridad, los alimentos son otro detonante significativo de las migrañas. Incluidos en esta lista están los alimentos que contienen nitratos o GMS (glutamato monosódico). Algunas personas con migrañas también son sensibles al chocolate y al queso, en tanto que otras manifiestan que determinados olores o las luces brillantes pueden originar una crisis. En el caso de algunas mujeres, la menstruación es un factor determinante de las migrañas. También los cambios de tiempo pueden influir en los dolores de cabeza, y algunas personas que padecen migrañas son excepcionalmente sensibles a los cambios de las presiones barométricas.

Tipos de migrañas

Los dolores de las migrañas son clasificados en distintos subtipos. El más prevalente es el de la "migraña común", también conocido como "migraña sin aura". En la migraña común no hay hallazgos neurológicos previos al inicio del dolor de cabeza. El dolor es descrito comúnmente como de un solo lado de la cabeza, pulsátil y de intensidad media a aguda. El dolor empeora con frecuencia con el movimiento y no es extraño encontrar al paciente echado en reposo en una habitación a oscuras. Otra característica típica de las migrañas son las náuseas, con o sin vómito. La sensibilidad a la luz y al sonido también pueden estar presentes en este cuadro y se conocen como "fotofobia" y "fonofobia" respectivamente. La migraña común suele ser crónica y el ataque puede durar entre 4 y 72 horas.

Otro tipo común de migraña es la "migraña clásica" o "migraña con aura". Esta clase de dolor de cabeza es similar a la migraña común, con la salvedad de que antes del inicio del ataque el paciente sufre alteraciones neurológicas conocidas como "aura". El aura puede manifestarse como una serie de cambios visuales o motores e incluir sensaciones extrañas. De estas, las alteraciones en la visión son las más frecuentes e incluyen la aparición de puntos ciegos (por ejemplo, escotoma) o alucinaciones. El escotoma suele comenzar en el centro de la visión y expandir su tamaño gradualmente adoptando forma de "C". Los bordes del punto ciego pueden brillar y cambiar de color en tanto que el escotoma empieza a moverse y desaparecer. Este cuadro es típico y recibe el nombre de "espectro de fortificación". Los escotomas no suelen durar más de 30 minutos, son inocuos y se cree que emergen desde el lóbulo occipital, la parte posterior del cerebro.

Otros tipos de migraña menos comunes incluyen la migraña basilar y la carotidinia. En el caso de la primera, el paciente tendrá síntomas como visión doble, mareo, confusión, pitidos en los oídos o dificultades para hablar. Estos síntomas pueden durar treinta minutos, tras los cuales comienza el dolor de cabeza. El dolor de la migraña basilar se localiza con frecuencia en la base del cráneo. Los síntomas pueden darse durante días, pero finalmente desaparecen en su totalidad. Un tipo inusual de migraña basilar es el llamado "síndrome de Bickerstaff". Este síndrome es típico de niñas con edades comprendidas entre los 10 y los 20 años y va acompañado de migrañas basilares y ceguera. Como en el caso de la migraña basilar, lo normal es una recuperación total.

La carotidinia, conocida también como "migraña facial", se caracteriza por un dolor en la parte baja o alta de la mandíbula o en el cuello. El dolor de la carotidinia varía desde el tipo latido sordo hasta el tipo "punzón de hielo". Los ataques duran desde minutos hasta horas y pueden darse

varias veces a la semana. El dolor de cabeza puede ir acompañado por dolor en la zona de la arteria carótida en el cuello. Este tipo de dolor suele darse en personas de entre 40 y 70 años.

El mejor modo de tratar una migraña es eliminar el detonante, si se conoce. Por ejemplo, entre quienes la padecen el estrés es un detonante habitual. La reducción del estrés, una tarea nada fácil en este mundo estresante, es la respuesta a este problema. Sin embargo, existen muchas técnicas para el alivio del estrés, por ejemplo, el *biofeedback*. Existe igualmente toda una variedad de terapias tradicionales y alternativas que pueden ayudar a aliviar los síntomas de las migrañas, como el magnesio y la sombrerera, que se abordan más adelante en este libro.

Dolor de cabeza postraumático

Este tipo de dolor generalmente acontece tras un traumatismo, por ejemplo, en el caso de accidente de tráfico. Sin duda, después de haber sufrido una lesión incluso menor en la cabeza, hay quien desarrolla síndrome de mareos, dolor de cabeza y disfunciones de la memoria que pueden durar desde semanas hasta años tras la lesión. El síndrome puede tener lugar incluso si no se llega a perder la conciencia como resultado del traumatismo. En la inmensa mayoría de los casos, los estudios diagnósticos como el escáner y la resonancia magnética son perfectamente normales y el síndrome termina por desaparecer por sí solo. Una alteración potencialmente grave que puede causar un cuadro de síntomas similares es el hematoma subdural crónico, que va aumentando su tamaño lentamente justo bajo el cráneo. Este es el motivo por el que, tras una lesión en la cabeza, resulta necesario contactar con algún profesional de la salud que cuente con medios de diagnóstico por imagen. Con la excepción del hematoma subdural, no se conoce la causa del dolor de cabeza postraumático.

Dolor de cabeza relacionado con el orgasmo o cefalea costal

Conocido también como "cefalea costal", este síndrome afecta a hombres cuatro veces más que a mujeres. La cefalea costal típica es repentina, ocurre cerca del momento del orgasmo, dura unos pocos minutos y entonces desaparece. La mala noticia es que estos dolores pueden alterar su vida sexual. La buena noticia es que casi siempre son dolores benignos y no indicativos de la existencia de ningún desorden serio.

Dolor tensional

Existen pocas dudas respecto al hecho de que el dolor de cabeza tensional es el más común de los dolores de cabeza y es padecido prácticamente por todo el mundo en algún momento de su vida. Los dolores tensionales pueden darse a cualquier edad. El síntoma clásico es un dolor opresivo, que muchos pacientes describen como si una banda les apretara la cabeza. El dolor se siente en ambos lados de la cabeza. Este tipo de dolores tienden a ser crónicos. Al igual que en el caso de la migraña, el dolor tensional comienza gradualmente y puede durar de horas a días. De modo similar, el dolor puede variar en intensidad, de una molestia leve a un dolor agudo. Aunque se ha documentado la relación existente entre el dolor de cabeza tensional y la ansiedad o la depresión (o ambos), la mayoría de quienes padecen estos dolores de cabeza no están ansiosos ni deprimidos.

Como se ha mencionado con anterioridad, existe controversia respecto a la relación entre la tensión y las migrañas. Algunos investigadores consideran estos dolores manifestaciones de un desorden similar. Otros expertos creen que los dolores tensionales y las migrañas son síndromes diferentes. A pesar de que no se conoce con exactitud la causa de los dolores de cabeza tensionales, se han descrito alteraciones en los músculos del cuello y la cabeza.

Tal y como verá más adelante, como mejor suele remitir el dolor de cabeza tensional es con técnicas de relajación, como el biofeedback y el masaje. Las terapias tradicionales incluyen paracetamol, AINEs, relajantes musculares y, en ocasiones, antidepresivos. La cafeína es otro agente que se ha empleado con éxito tanto en el tratamiento de los dolores tensionales como en el de las migrañas. También existen múltiples terapias alternativas para el dolor de cabeza tensional; el aceite de menta y el L-5-hidroxitriptófano han demostrado ser eficaces.

Factores psicológicos

Múltiples estudios han llegado a la conclusión de que en algunas personas existe una relación clara entre los dolores de cabeza y la depresión. Esto no significa que sus síntomas sean ficticios, sino que las emociones pueden desempeñar cierto papel en sus dolores de cabeza. Así como las emociones pueden generar dolores de cabeza, también se sabe que los dolores de cabeza crónicos pueden dar lugar a altibajos en el ánimo e, incluso, depresión. En el caso de alguien que padece depresión y dolores de cabeza es fudamental determinar si el dolor de cabeza causa la depresión o la depresión da lugar al dolor de cabeza. Quizás sea más importante que, tanto los médicos como los pacientes,

reconozcan el papel que los factores psicológicos juegan en los dolores de cabeza. El conocimiento de esta relación ha llevado a muchos expertos a observar que los medicamentos antidepresivos son efectivos en el tratamiento de migrañas y de dolores de cabeza tensionales. De modo similar, la asociación entre dolores de cabeza y depresión puede haber llevado al uso de suplementos naturales, como el L-5-hidroxitriptófano, para tratar con éxito los dolores de cabeza tensionales y las migrañas.

3

Suplementos naturales

Cada vez más personas se inclinan hacia los remedios naturales porque no están satisfechas con los tratamientos tradicionales occidentales, y no es sorprendente que la medicina integrativa haya experimentado un boom en las tres últimas décadas. Soy uno de esos típicos médicos de Nueva York, siempre ajetreados, formados en grandes y muy serios hospitales académicos, en los que se nos nutría insistentemente con la clásica y tradicional formación médica occidental. Si no supiera que el tabaco y el alcohol son dañinos, probablemente me parecería a Winston Churchill (sentado en alguna habitación oscura, llena de humo, con un puro en una mano y un vaso de whisky escocés en la otra, refunfuñando con desdén ante cualquier cosa que oliera a medicina integrativa).

En la actualidad, soy una evidencia de que incluso los "chicos de la vieja escuela de Nueva York" pueden cambiar de tornas. Cuando empecé a escribir acerca de la medicina integrativa hace seis años, era escéptico acerca de las vitaminas, los minerales, las plantas y cualquier otra terapia que no implicara el uso de la alta tecnología o, al menos, una medicación potente que por otra parte tenía efectos secundarios. En tanto investigaba para mis artículos, pude ir comprobando en mí mismo que algunas de esas terapias realmente funcionaban. Me congratula saber que quienes presentan esta investigación tienen antecedentes similares a los míos y sufren los mismos juicios y tribulaciones que afronta cada científico cuando busca eso que se llama "la verdad". No es preciso decir que ha sido una experiencia de aprendizaje que ha cambiado para siempre el modo en que yo veía tanto la salud como la medicina. Así pues, antes de adentrarnos en el campo de los suplementos y las alergias, analicemos los retos a los que se enfrentan los científicos y médicos cuando llevan a cabo tales investigaciones.

Retos de la investigación

En el caso de los humanos, las deficiencias en vitaminas y minerales suelen ser consecuencia de alguna de las siguientes causas: ingesta inadecuada, mala absorción o aumento de las necesidades. Los investigadores han orientado las investigaciones acerca de los suplementos minerales y de vitaminas a esclarecer si el reemplazo de un agente deficiente puede mejorar o eliminar el dolor de cabeza. Uno de los problemas asociados a la investigación con suplementos es que si un individuo tiene carencias de una sustancia "A", existen muchas probabilidades de que también tenga deficiencias en sustancias "X", "Y" y "Z". En otras palabras, las deficiencias de vitaminas y minerales no se dan solas, pues las pautas o los desarreglos clínicos que dieron lugar a la deficiencia generalmente causan otras deficiencias. Sabiendo esto podrá ver por qué es difícil estudiar una deficiencia sin considerar otras.

El segundo reto que afronta una investigación sobre los suplementos es tener en cuenta que una función neurológica adecuada no descansa en un único nutriente, sino en el conjunto de vitaminas y minerales responsable de la salud general. En consecuencia, es muy difícil testar el impacto de una vitamina en particular frente al dolor de cabeza.

Para mayor complicación de los estudios de suplementos, la mayoría de ellos concluyen que un suplemento en particular benefició a parte, pero no a todos los participantes. Por ejemplo, en un estudio que analice el efecto de la vitamina "X" sobre los dolores de cabeza, los autores pueden reportar que solo el 54% de los participantes tenga una respuesta positiva hacia los suplementos. Esto es un hallazgo corriente, puesto que la situación médica que denominamos "dolor de cabeza" es el punto de encuentro final de múltiples caminos de anormalidades biológicas. Muchas vías llevan a los dolores de cabeza y cada individuo tiene su situación particular de influencias genéticas y medioambientales que resulta en la expresión de algunos de estos caminos, pero no todos. Estos caminos únicos son la razón por la que tenemos múltiples tipos de dolor de cabeza que a menudo responden a diferentes tratamientos. Esta multitud de posibilidades presenta un reto especial a los investigadores, en tanto que aún estamos en el proceso de comprender cómo funcionan e interactúan. Los dolores de cabeza son, claramente, resultado de la interacción entre genes y circunstancias, y esto es por lo que un suplemento determinado puede funcionar en algunos sujetos y no en otros. La buena noticia es que, a medida que nuestro conocimiento se amplía, vamos entendiendo que, así como hay causas que originan el dolor de cabeza, las mismas tienden a converger en el mismo punto, y algunas de las terapias más efectivas están enfocadas a esos caminos comunes.

Los investigadores en nutrientes también tienen que considerar en sus trabajos la variedad de las dietas de los sujetos de estudio. El estudio de suplementos ideal analizaría dos grupos diferentes de sujetos con idénticas condiciones médicas, deficiencias en nutrientes y dietas comparando el efecto de la administración de suplementos frente a la no administración de suplementos. Aunque es relativamente fácil encontrar personas en similares condiciones médicas, es difícil controlar y hacer un

total seguimiento de las dietas individuales. Lo bueno de los estudios con animales es que se puede controlar totalmente su dieta. Eso significa que, por ejemplo, a un grupo de cobayas se les puede administrar la misma cantidad de comida cada día y administrar suplementos solo a algunos de ellos. Esto no se puede llevar a la práctica con personas. Otra dificultad añadida a los estudios en investigaciones acerca dietas es que la gente hace "trampas", por lo que estas serán siempre una fuente potencial de confusión y error.

Así pues, ¿qué se puede hacer?

Como con cualquier campo emergente de la medicina, hay controversia respecto al verdadero efecto de los suplementos sobre los dolores de cabeza. No obstante, a pesar de la complejidad de la investigación en nutrientes, un cuerpo sustancial de literatura indica que para muchos individuos con dolores de cabeza hay algunos suplementos que pueden ayudar. Dado el número de suplementos potenciales es natural preguntarse: "¿Cómo elijo los suplementos idóneos para mí?".

Como médico de la vieja escuela, recomendaba firmemente a todo el que padeciera dolores de cabeza que, además de una dieta saludable, ejercicio regular y un descanso adecuado, suplementaran habitualmente su dieta con una o dos sustancias. Le recomiendo que le pida a un médico que le ayude a elegir uno o dos suplementos estándar adecuados a sus necesidades individuales. Aconsejo dos tipos porque estos suplementos tienden a funcionar mejor de forma combinada. Si puede encontrar usted un suplemento que por sí solo le libre de los dolores de cabeza, fabuloso. Sin embargo, lo que algunas personas necesitarán será tomar dos o más suplementos para lograr un alivio efectivo, algo frecuente especialmente entre quienes sufren de dolores de cabeza agudos.

Sería conveniente comenzar tomando dos suplementos estándar que no solo le ayudarán frente al dolor de cabeza, sino que también le protegerán frente a otros problemas de salud. Hay probabilidades de que sus dolores de cabeza mejoren tras uno o dos meses tomando estos suplementos. Tras dos meses, si no ha mejorado tanto como le gustaría, le recomiendo que continúe tomando sus dos suplementos estándar a la vez que experimente con suplementos individuales adicionales para ver qué mineral o vitamina resulta, respecto a sus dolores de cabeza, el más efectivo. Dé a cada suplemento un plazo de prueba de cuatro semanas y registre sus síntomas en su diario de dolores de cabeza. Le sugiero que se haga un análisis para detectar deficiencias de vitaminas y minerales y, con la ayuda de un profesional, corrija cualquier deficiencia detectada.

Recuerde que los suplementos nutricionales suponen solo una pequeña parte para ayudarle con

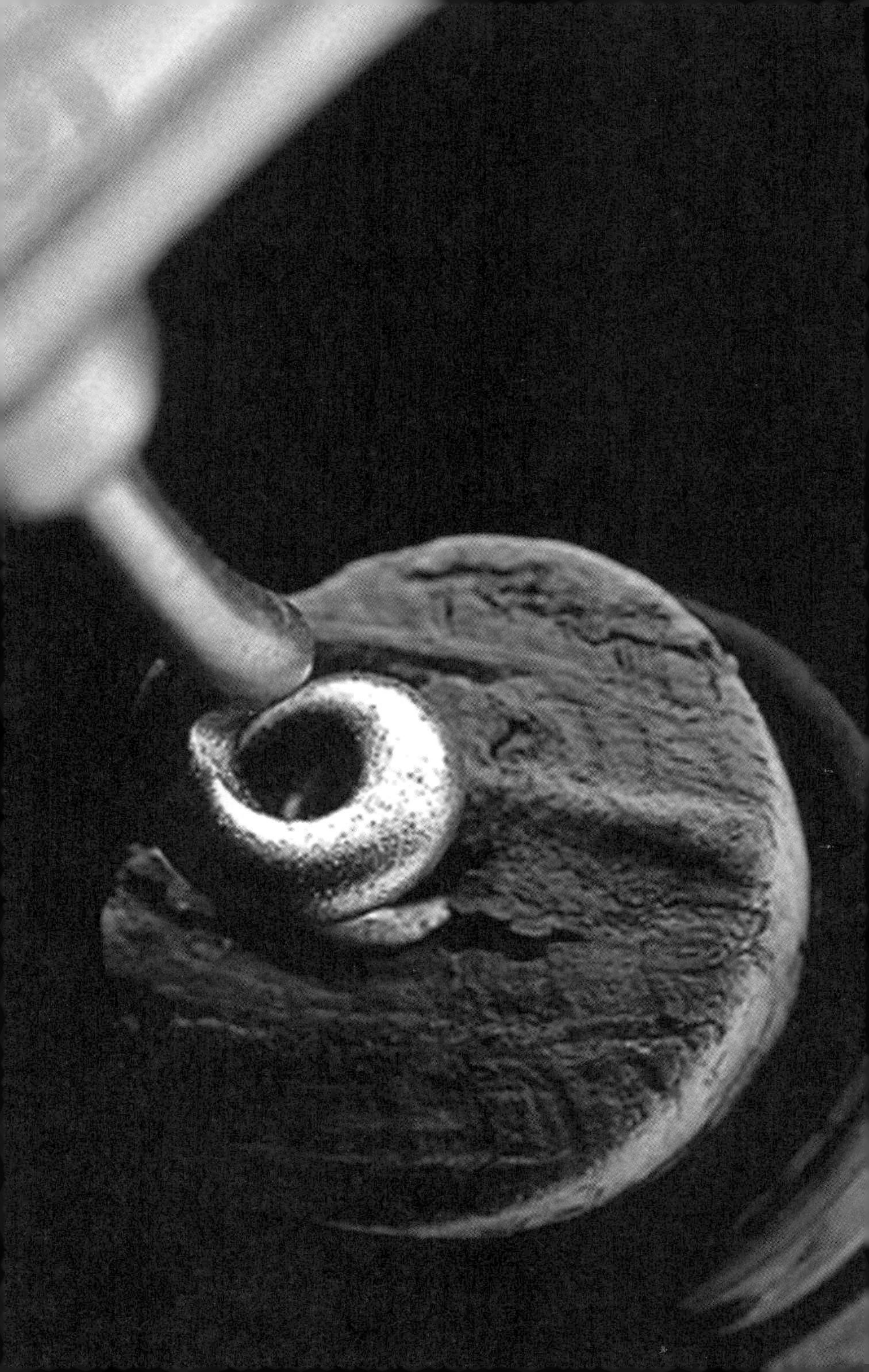

el cuadro de dolor de cabeza. El propósito de este libro es eliminar o mejorar drásticamente sus dolores de cabeza. Los cimientos de una buena salud no reposan únicamente sobre suplementos; bien al contrario, una vida sana exige un entorno limpio, una buena nutrición, ejercicio regular y sueño adecuado. Los suplementos pueden ayudar; no obstante, son tan solo una pieza del complejo puzzle al que denominamos "salud". Dicho esto, investiguemos los suplementos que potencialmente pueden ayudarle a aliviar sus síntomas y mejorar su vida.

Magnesio para las migrañas

El magnesio es necesario para la formación de los huesos, las proteínas y la ATP (trifosfato adenosina). También se necesita para activar las vitaminas del grupo B. Presente en judías, granos, productos lácteos, pescado, carne, nueces y vegetales de color verde, el magnesio se utiliza en el tratamiento de problemas cardiacos y arritmias.

Se han detectado bajos niveles de magnesio en pacientes con migrañas y cefaleas en racimo, pero no en aquellos con dolores de cabeza tensionales. Según algunos estudios, hasta el 50% de pacientes durante una crisis aguda de migraña tiene los niveles de magnesio ionizado más bajos de lo normal. Mientras las investigaciones indican claramente que el magnesio intravenoso puede evitar algunos dolores de cabeza, la investigación acerca del suministro oral de magnesio obtiene resultados contradictorios; algunos estudios revelan resultados positivos mientras que otros son negativos.

Por ejemplo, un estudio austriaco llevado a cabo en 1996 mostró que no había diferencia entre el número de ataques de migraña que padecían aquellos que recibían placebo y quienes eran tratados con magnesio. En sentido contrario, una prueba clínica de placebo controlado encontró que los suplementos de magnesio reducían el dolor de cabeza, la frecuencia y las molestias premenstruales en un grupo de mujeres con migrañas menstruales. Otra prueba llevada a cabo en 1996 por A. Peikert, entre varios centros, con placebo controlado y selección al azar, administrando oralmente magnesio a pacientes que padecían migrañas, se produjo una reducción del 41,6% en la frecuencia de los ataques, frente a solo el 15,8% en el grupo de los que recibían placebo. El uso de medicación, así como el número de días con migraña, se redujo. Del mismo modo, los autores comunicaron una reducción en la duración e intensidad de los ataques, pero la diferencia entre el grupo tratado y el grupo que había recibido placebo no era estadísticamente significativa.

A pesar de estos hallazgos mixtos, los investigadores del Centro para el Dolor de Cabeza de Nueva York escribieron: "Dado el excelente perfil preventivo y el bajo coste, y a pesar de la falta de estudios definitivos, creemos que una prueba llevada a cabo con suplementos de magnesio suministrados oralmente puede recomendarse a la mayoría de los pacientes con migrañas". Dada la fuerte asociación entre el magnesio y los dolores de cabeza, cualquiera con dolores de cabeza crónicos debería considerar analizarse los niveles de magnesio. Así como no se han comunicado pruebas con magnesio en pacientes con cefaleas en racimo, dada la correlación entre los bajos niveles de magnesio y las cefaleas en racimo, es recomendable hacer la prueba.

La relación entre los dolores de cabeza tensionales y el magnesio aún se está investigando. Algunos autores creen que determinados trastornos en el metabolismo del magnesio juegan cierto papel en los dolores de cabeza tensionales y que tales trastornos pueden corregirse mediante la administración de suplementos; sin embargo, no existen aún estudios clínicos que lo demuestren.

DOSIFICACIÓN

La mayoría de los entendidos sugiere suplementos de 250-350 miligramos de magnesio al día. Dado que la vitamina B_6 (piridoxina) ayuda en la absorción de magnesio, tome 10-15 miligramos de piridoxina con el magnesio. Un suplemento multivitamínico/mineral diario también resulta recomendable, puesto que el magnesio "compite" con otros minerales, como el calcio, en la absorción, y usted quiere asegurarse de obtener las otras vitaminas y minerales que necesite. El efecto secundario más corriente del magnesio es la diarrea. Efectos secundarios inusuales incluyen eructos, depresión, gases, letargia, náuseas, calambres, vómitos y debilidad. Si tiene problemas renales, hable con su médico antes de tomar magnesio. No tome suplementos de magnesio si padece diarrea o tiene un historial con elevados niveles de magnesio en sangre.

VITAMINA B2 (RIBOFLAVINA) CONTRA LAS MIGRAÑAS

Aparte de ser necesaria para el metabolismo de los aminoácidos, la riboflavina o vitamina B_2 ayuda a transformar el azúcar en ATP. Empleada en el tratamiento contra la anemia, se cree que la riboflavina mejora la producción energética neuronal, de ahí que ayude en la prevención de migrañas. Existen dos trabajos que han estudiado la relación de esta vitamina y las migrañas. El primero fue publicado en 1998 en la revista *Neurology*. Fue un experimento clínico controlado, con muestra al azar, llevado a cabo en Bélgica. En este estudio, 49 pacientes fueron tratados con riboflavina durante tres meses, tras los cuales el 68,2% mostró una

positiva mejoría global. El segundo fue un estudio clínico controlado con placebo y muestra al azar que se llevó a cabo con 55 pacientes con migrañas. Los suplementos de riboflavina no solo redujeron la frecuencia de los ataques de migraña, sino también el número de días con dolor de cabeza, en el 59% de los casos entre quienes recibían vitaminas frente a solo el 15% de aquellos que recibían placebo. Dos pacientes manifestaron efectos secundarios consistentes en diarrea y exceso de orina. Se sospecha que la riboflavina actúa incrementando la función energética mitocondrial. Las mitocondrias son conocidas como células "centrales eléctricas" y se sugiere la existencia de cierta disfunción mitocondrial entre los muchos mecanismos que hay tras los ataques de migraña. Los autores concluyeron que, dada su alta eficacia, excelente tolerancia y bajo coste, la riboflavina es una opción interesante para el tratamiento de las migrañas.

Dosificación

La dosis típica de riboflavina en estos estudios fue de 400 miligramos diarios. Los efectos secundarios son inusuales y la vitamina B_2 se toma habitualmente como parte de un complejo de vitamina B.

VITAMINA B12 (CIANOCOBALAMINA) CONTRA LAS MIGRAÑAS

La vitamina B_{12} es esencial para el funcionamiento del sistema nervioso. Además es necesaria para el buen funcionamiento del corazón, actuando junto con la vitamina B_6 y el ácido fólico en la reducción de la homocisteína, un aminoácido que puede incrementar el riesgo de sufrir enfermedades cardiacas. La deficiencia en cianocobalamina se asocia a la fatiga –en ocasiones se emplea las inyecciones de esta vitamina para el tratamiento de la fatiga crónica. Presente en la carne, el pescado y los productos de consumo diario, la vitamina B_{12} también se ha utilizado para tratar la depresión y la anemia perniciosa.

Con la excepción de diversos estudios llevados a cabo en los años cincuenta y sesenta, el único estudio moderno acerca del tratamiento de los dolores de cabeza con cianocobalamina se publicó en 2002. Este estudio, llevado a cabo por P. Van Der Kuy y otros en los Países Bajos, investigó con 20 pacientes que sufrían migrañas ocho veces al mes y fueron tratados con solución intranasal de B_{12} durante tres meses. Durante ese periodo, el 50% de los pacientes experimentó una reducción del 50% en la frecuencia de los ataques. Los autores también constataron una reducción del uso de medicamentos, de la duración de los ataques y del número de días con dolor de cabeza.

Aunque se trata del primer estudio piloto, es una noticia alentadora respecto a la vitamina B_{12} y los pacientes con migrañas.

Dosificación

Las recomendaciones para los suplementos de vitamina B_{12} varían para cada persona. Los vegetarianos estrictos suelen necesitar 2-3 microgramos al día, en tanto que quienes padecen anemia perniciosa suelen necesitar 1.000 microgramos al día como promedio. Algunos expertos recomiendan que los ancianos tomen 10-25 microgramos diarios. Los efectos secundarios son inusuales; no obstante, a veces se dan casos de diarrea y, ocasionalmente, reacciones alérgicas a las inyecciones. No la deben tomar quienes sean alérgicos al cobalto.

Vitamina D y calcio para la migraña

De todos los minerales del cuerpo, el calcio es el más abundante y casi todo nuestro calcio se aloja en los huesos. Aparte de ser vital para la salud de los huesos y dientes, el calcio desempeña un papel fundamental en la contracción muscular, la conducción nerviosa y la coagulación de la sangre. Empleado para tratar a los celíacos, la osteoporosis y el raquitismo, empieza a haber evidencia de que las dietas ricas en calcio pueden proteger contra los pólipos de colon. La mayor parte del calcio de nuestra dieta procede de los productos lácteos; sin embargo, las sardinas, el tofu y los vegetales de hoja verde representan también importantes fuentes de calcio. La vitamina B_{12} es el guardián del calcio, garantizando un equilibrio del calcio entre la sangre y los huesos. De hecho, niveles bajos de esta vitamina se asocian a una menor densidad ósea.

Hay dos informes sobre la combinación de calcio y vitamina D para el tratamiento de las migrañas. El primer informe, que se publicó en la revista *Headache*, aludía a dos mujeres con migrañas menstruales. Según el autor, después del tratamiento con calcio y vitamina D, ambas mujeres experimentaron una reducción sustancial de sus ataques de dolor de cabeza así como de la sintomatología premenstrual. El segundo informe, también publicado en *Headache,* versaba acerca de dos mujeres que tenían "atroces, migrañas" y fueron tratadas con calcio y vitamina D. De conformidad con los investigadores, experimentaron una drástica reducción de la frecuencia y duración de las migrañas.

Dosificación

La dosis diaria típica de vitamina D es de 200-1.000 UI. Los efectos secundarios incluyen estreñimiento, boca seca, dolores de cabeza, vómitos y pérdida de peso. Si tiene un historial de enfermedades cardiacas, hiperparatiroidismo, enfermedades renales, sarcoidosis o pretende tomar más de 1.000 UI al día, consulte antes con su médico. No tome vitamina D si padece insuficiencia renal o si tiene un historial de calcio o fosfatos elevados en sangre.

De todos los suplementos de calcio en el mercado, el citrato de calcio y el citromalato cálcico parecen ser los que mejor se absorben. La dosis habitual cuando se toman suplementos es de 800-1.000 miligramos diarios. El efecto secundario más frecuente es la hinchazón, el estreñimiento y los gases.

Dado que la vitamina D es necesaria para la absorción del calcio, se suele tomar junto a 400 UI de dicha vitamina. También se recomienda el uso diario de un suplemento multivitamínico/mineral, ya que el calcio puede dificultar la absorción de otros minerales.

Niacina para las migrañas

Presente en la levadura de cerveza, el pescado, la carne y los cacahuetes, la niacina se utiliza para combatir el síndrome de abstinencia cuando se deja el alcohol y contra el colesterol alto. A pesar de que la literatura que relaciona la niacina y la migraña es limitada, ha resultado alentadora. En 2003 la Clínica Mayo publicó un informe que trataba el caso de un paciente cuyas migrañas respondieron drásticamente frente a la liberación prolongada de niacina como tratamiento preventivo. Se cree que la niacina contribuye a la elevación de los niveles de serotonina en plasma, niveles que se han encontrado bajos en pacientes con migrañas.

Otro estudio llevado a cabo en 2001 por A. Gedye, trató a 12 pacientes con migrañas con una combinación de triptófano, niacina, calcio, cafeína y ácido acetilsalicílico (aspirina). Según el informe, el 75% de los tratados experimentó "significativos beneficios". A pesar de estos interesantes hallazgos, aún hay dudas acerca de la niacina y son necesarias más investigaciones al respecto. No tengo nada en contra de que la gente con migrañas tome niacina: si no alivia sus dolores de cabeza, al menos reducirá sus niveles de colesterol.

Dosificación

Lo habitual es empezar con 100 miligramos de niacina una vez al día y aumentar gradualmente la dosis hasta 100-300 miligramos tres veces al día. Asegúrese de tomar la niacina con las comidas y al menos dos vasos de agua. No tome más de 1.000 miligramos al día sin consultar a un médico. Un nuevo tipo de niacina, llamado "hexaniocinato de inositol", parece ofrecer los mismos beneficios para la salud sin los efectos secundarios asociados a la niacina.

El efecto secundario más notorio de la niacina son los sofocos. No obstante, también pueden darse dolores de cabeza y estómago incluso en dosis bajas (50 miligramos al día). Otros efectos secundarios que se producen más raramente pueden darse con dosis más elevadas: diabetes, diarrea, sequedad de piel, problemas oculares, gota, dolores de cabeza, arritmias, toxicidad en el hígado, hipotensión, lesiones musculares, náuseas, sarpullidos, dolor de estómago, úlceras y vómitos. El alcohol y las bebidas calientes con frecuencia aumentan los sofocos, mientras que la ingesta de 125-350 miligramos de aspirina tomada entre 20 y 30 minutos antes de la ingesta de niacina puede evitar el rubor y los sofocos.

Es conveniente que su médico controle periódicamente los niveles de toxicidad en el hígado y evalúe los efectos secundarios durante la toma de niacina. No la emplee si tiene problemas de hemorragias, enfermedad hepática, hipotensión o úlceras de estómago. Por último, consulte a su médico antes de tomar niacina en caso de diabetes, problemas en la vesícula biliar o en el hígado, gota, ictericia, enfermedades cardiacas, sensibilidad a la tartrazina o un historial de úlceras de estómago o hemorragias.

ACERCA DEL USO DE PLANTAS CONTRA EL DOLOR DE CABEZA

Muchos de los medicamentos que se utilizan para tratar enfermedades clínicas tienen sus raíces, literalmente, en las plantas, que contienen moléculas que, al purificarse o sintetizarse, se consideran fármacos. Teniendo esto en cuenta, es importante utilizar las plantas con la misma precaución con que se tratan los fármacos. A lo largo de miles de años, la Humanidad ha ido descubriendo que ciertas plantas tienen propiedades medicinales. Únicamente con la aparición de la química moderna hemos sido capaces de aislar y sintetizar la "magia" que descubrieron nuestros antecesores. A medida que la ciencia evolucionaba, no solo se descubrieron los ingredientes activos que se escondían tras esas plantas, sino que se pudo aislar, sintetizar y finalmente manipular estos agentes, aumentando con frecuencia sus propiedades terapéuticas y eliminando efectos secundarios.

Las terapias alternativas y los productos que utiliza representan hoy una industria multimillonaria que rivaliza con la industria farmacéutica. La industria que elabora productos a partir de plantas medicinales con frecuencia ofrece a sus consumidores productos que no se encuentran disponibles en ninguna otra parte. También suelen estar libres de conservantes y aditivos, lo que beneficia a quienes padecen dolores de cabeza.

No obstante, hay algún inconveniente. Uno de los grandes retos a que se enfrenta esta industria es el de la estandarización, de modo que el consumidor nunca puede tener la certeza de qué cantidad de ingrediente activo obtiene con determinados preparados. Para la industria farmacéutica, por el contrario, existen estrictos estándares en la formulación. La desventaja respecto a la farmacopea moderna es que con frecuencia incorpora conservantes y colorantes que pueden representar un problema para los alérgicos, algo menos frecuente en los productos "naturales". Aunque la mayoría de los fabricantes son responsables, hay alteraciones ocasionales de productos herbales adulterados y sin etiquetado que a pesar de esto consiguen salir al mercado.

Por lo que a la eficacia se refiere, afortunadamente estamos empezando a ver estudios serios y rigurosos acerca de productos fabricados a partir de plantas publicados en diferentes revistas, como la de la Asociación Médica Americana. Aunque estos informes son esperanzadores, la investigación sobre plantas está aún en su "más tierna infancia" y documentar la eficacia a menudo lleva años de indagación y controversia.

Hay que señalar también que la extracción de plantas para el uso directo y para el desarrollo y producción de medicamentos por parte de las compañías farmacéuticas puede tener un impacto devastador sobre el medio ambiente. Por ejemplo, la hierba sello de oro (*Hidrastis canadensis*) se está viendo amenazada debido a lo mucho que ha sido demandada por sus propiedades medicinales.

Este es un acercamiento ponderado a las medicinas alternativa y tradicional que espero compartir con usted. Cuando nos adentremos en la medicina tradicional y en la alternativa, quiero que sus ojos se encuentren bien abiertos para apreciar sus ventajas e inconvenientes. Al igual que en el caso de las vitaminas, los minerales y los productos farmacéuticos, la hierba que le va bien a su amigo no tiene por qué irle bien a usted. A pesar de sus defectos potenciales, está usted a punto de aprender que las hierbas pueden ayudar a la gente con los dolores de cabeza. Si se decide por la vía de las plantas, le sugiero que lo haga bajo la guía de algún profesional de la salud familiarizado con la terapia herbal. Recuerde: la frontera entre planta y medicamento es con frecuencia borrosa y muchas de nuestras más poderosos medicinas tuvieron un humilde comienzo como "mala hierba" en algún patio trasero.

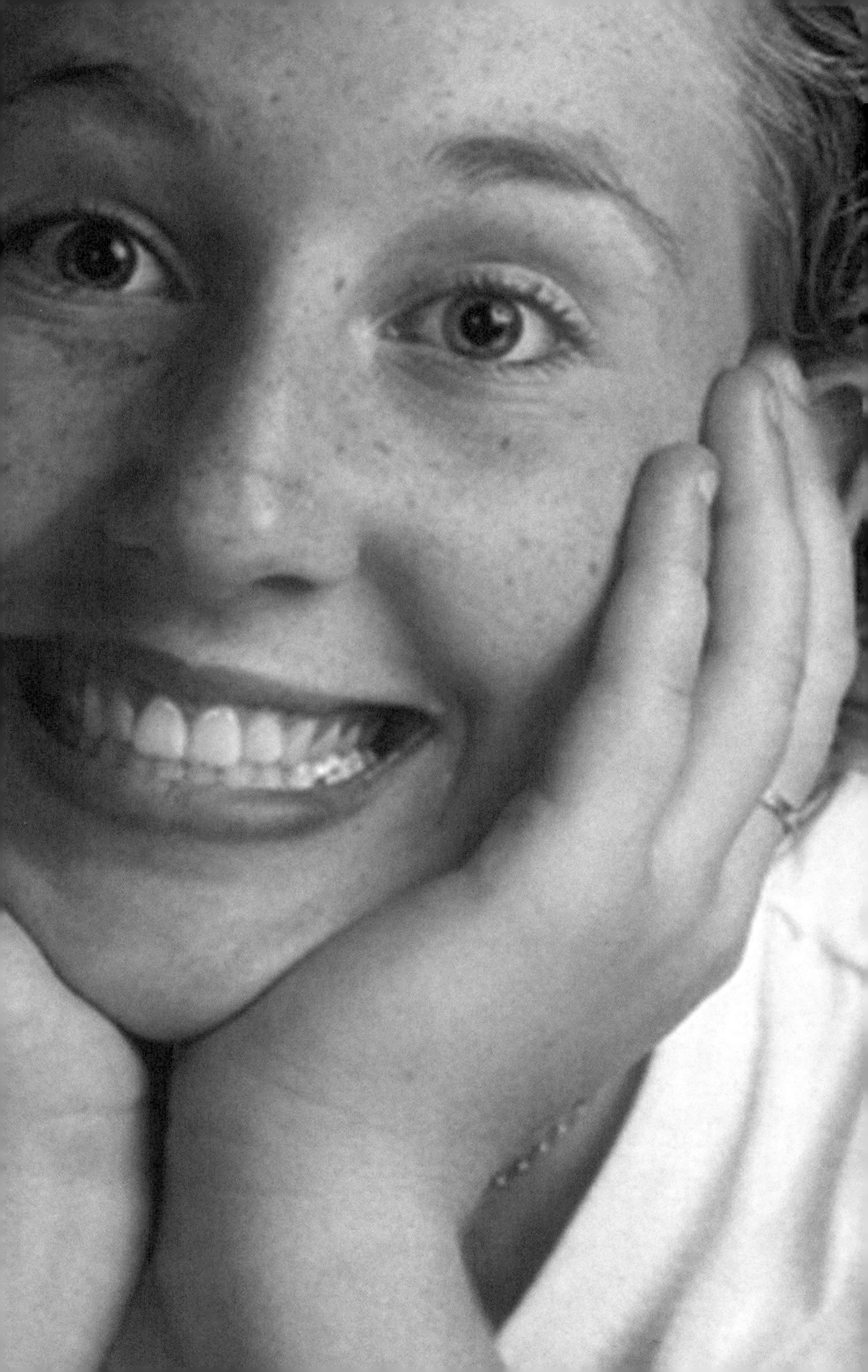

Sombrerera (*Petasites hybridus*) para las migrañas

La sombrerera es un arbusto que se encuentra en Asia, Europa y Norteamérica utilizado en la Edad Media para tratar la peste. Hoy la sombrerera ha encontrado un papel en el tratamiento de las migrañas, el asma y enfermedades intestinales. A modo de curiosidad, decir que las hojas de este arbusto pueden alcanzar casi un metro de diámetro y el término "sombrerera" deriva del uso que se hacía de estas hojas para envolver mantequilla antes de que existiera la refrigeración.

Se cree que las propiedades médicas de la sombrerera residen en las petasinas, agentes que inhiben la síntesis del leucotrieno y tienen efecto antiinflamatorio. Además de aliviar el dolor, esta planta ha sido utilizada como antiespasmódico en alteraciones urológicas y gastrointestinales. Por lo que a los dolores de cabeza se refiere, un experimento llevado a cabo por W. Grossman y otros dio resultados positivos respecto al uso de la sombrerera contra la migraña. Este estudio clínico con placebo controlado y doble ciego examinó a 60 pacientes a los que se les dio extracto de *Petasites Hybridus* dos veces al día durante 12 semanas. Según los autores, la frecuencia de los ataques de migraña se redujo en más del 60%. Estos investigadores también informaron de que la sombrerera era bien tolerada, sin episodios adversos. Aunque los resultados de este estudio resultan alentadores, son necesarias más investigaciones para determinar si la sombrerera jugará alguna vez un papel significativo en el tratamiento del dolor de cabeza.

DOSIFICACIÓN

Ha habido casos excepcionales de lesiones hepáticas provocadas por esta planta, así que quienes padezcan enfermedad hepática deberían evitarla. La mayoría de los extractos estandarizados contienen al menos 7,5 miligramos de petasina e isopetasina; la mayor parte de los entendidos recomiendan tomar 50-100 miligramos dos veces al día con las comidas. No utilice ningún preparado que contenga alcaloides de la pirrolizidina. La intoxicación del hígado es el principal efecto secundario y es causada por los alcaloides de la pirrolizidina, por lo que normalmente son retirados de los extractos. Hay también casos de posible inhibición de la síntesis de la testosterona, pero estos no han sido confirmados en humanos.

Capsaicina para las migrañas y las cefaleas en racimo

La capsaicina ha sido empleada con éxito en la prevención de las cefaleas en racimo. Esta sustancia, presente en los pimientos rojos, ha sido utilizada durante siglos para aliviar el dolor. Se cree que la aplicación tópica de capsaicina funciona por depleción de la sustancia P en los nervios sensoriales, insensibilizando los nervios frente a posteriores estímulos.

Dada su utilidad en el tratamiento del dolor, la capsaicina ha sido empleada para tratar toda una variedad de patologías, incluida la osteoartritis, la neuropatía diabética y la neuralgia postherpética.

Diversos estudios han demostrado resultados positivos utilizando soluciones intranasales de capsaicina para las cefaleas en racimo. Un estudio multicentro, doble ciego randomizado aleatorio llevado a cabo por el Instituto Neurológico del Dolor de Michigan examinó el efecto de la capsaicina intranasal en 28 pacientes con cefaleas en racimo. Estos investigadores encontraron que el grupo tratado experimentó una reducción del 55,5% en el número de cefaleas en racimo ya en el sétimo día de tratamiento. Sus resultados se tornaron aún mejores con el tiempo, alcanzando un 70,6% en el vigésimo día. Según el informe, el efecto secundario más corriente fue el lagrimeo y la irritación nasal. Otro estudio, publicado en 1993 por el Hospital General de Massachusetts, encontró que la capsaicina intranasal desembocaba en cefaleas en racimo significativamente menos agudas tras 8-10 días de uso. En este estudio, la capsaicina intranasal se mostró más eficaz al ser utilizada episódicamente que de forma continuada.

Otro experimento controlado, multicéntrico y doble ciego randomizado, llevado a cabo por S. Diamond y otros, testó la capsaicina intranasal para el tratamiento de las migrañas agudas. Este estudio analizó a 34 pacientes con migraña y encontró que, tras dos horas, al 55,6% se le había reducido la intensidad del dolor, habiendo un 22,2% de pacientes a los que les había desparecido. Los resultados fueron incluso más impactantes tras cuatro horas de dosificación, con un 72% de pacientes que experimentó reducción del dolor y un 33% al que le desapareció. Aunque no se observaron efectos secundarios importantes, el 91,2% de los pacientes experimentó irritación de la mucosa nasal y el 44,1%, lagrimeo. Pese a que estos investigadores encontraron que la capsaicina era efectiva para el tratamiento de las migrañas agudas, también escribieron que, dado su mecanismo de acción, la capsaicina intranasal debería ser sustancialmente más efectiva para la profilaxis que en el tratamiento de las migrañas agudas.

Al utilizar capsaicina intranasal es muy posible que al principio experimente irritación de la mucosa nasal, estornudos y secreciones nasales,

GOYA

pero estos efectos secundarios suelen desaparecer tras unos días. La mayoría de los estudios han suministrado capsaicina intranasal diariamente, según iba siendo necesario. Hable con un experto si está interesado en esta terapia.

TANACETO (TANACETUM PARTHENIUM) PARA LA MIGRAÑA

De la misma familia que el girasol, el tanaceto ha sido utilizado durante siglos como planta medicinal. A pesar de su larga historia, la literatura relativa a su uso frente al dolor de cabeza ofrece resultados contradictorios. Por ejemplo, un experimento doble ciego, con muestra al azar y placebo controlado publicado en la prestigiosa revista *The Lancet,* examinó el impacto del tanaceto en la frecuencia de las migrañas en 59 individuos que tomaron suplementos durante cuatro meses. Los suplementos redujeron el número e intensidad de los ataques; sin embargo, la duración de estos y los vómitos persistieron. No se detectaron efectos secundarios importantes en este estudio. Otro estudio, llevado a cabo por V. Pfaffen Rath y otros, encontró que el tanaceto solo era eficiente en pacientes con cuatro migrañas mensuales o más. Estos hallazgos llevaron a los autores a concluir que el tanaceto no parecía mostrar un efecto significativo en la profilaxis de las migrañas.

Dado que no hay acuerdo sobre sus resultados, lo único que se puede recomendar a quienes padecen migrañas es que un intento con tanaceto puede merecer la pena. La planta tiene pocos efectos secundarios; las náuseas y las molestias estomacales son los más frecuentes. No debe tomar tanaceto si se encuentra en tratamiento con anticoagulantes, como warfarina, aspirina o AINEs.

Dosificación

La dosis varía en función de la preparación; no obstante, la dosis habitual es de 350 miligramos al día.

Aceite de menta para los dolores de cabeza tensionales

La menta es un híbrido de dos plantas cultivadas por primera vez en el Reino Unido en el siglo XVIII. Dada la teoría de que la menta ejerce una acción relajante muscular, varios investigadores decidieron estudiarla para un posible tratamiento de los dolores de cabeza tensionales. Un experimento clínico controlado con muestra al azar, llevado a cabo por H. Goebel y otros en 1996, ana-

lizó el efecto de una preparación tópica de aceite de menta y eucalipto en 32 individuos. Aunque la combinación no tuvo un impacto significativo en la sensibilidad frente al dolor, los autores señalaron que la mezcla ejercía un efecto relajante muscular y mental. Este mismo estudio indicó que, utilizando una combinación tópica de etanol y aceite de menta, se obtenía un efecto analgésico significativo con una reducción de la sensibilidad frente al dolor de cabeza.

Resultados más alentadores fueron constatados por un grupo alemán en otro experimento clínico con placebo controlado llevado a cabo con muestra al azar en 41 personas con dolores de cabeza tensionales. Según el estudio, el uso tópico de etanol con aceite de menta redujo significativamente la intensidad del dolor de cabeza clínico tras 15 minutos. Igualmente significativo es que no hubiera diferencia entre la eficacia de 1.000 miligramos de paracetamol y la de un 10% de aceite de menta diluido en etanol. Los autores también escribieron que la solución de aceite de menta/etanol era bien tolerada y un tratamiento efectivo para los dolores de cabeza tensionales.

Dosificación

El uso varía según el preparado; sin embargo, un uso típico consiste en aplicar aceite de menta sobre el área afectada cuatro veces al día.

El L-5-Hidroxitriptófano (L-5-HTP, 5-HTP) para la migraña y los dolores de cabeza tensionales

5-HTP es utilizado por el organismo para producir serotonina, un compuesto químico que desempeña un importante papel en el ánimo, el sueño, el dolor y el comportamiento sexual. La serotonina inhibe las vías del dolor relacionadas con las migrañas y se sabe que ayuda en la prevención de diversos síndromes dolorosos. Debido a su papel esencial en la transmisión del dolor, el 5-HTP ha sido estudiado por su capacidad para aliviar y prevenir el dolor de cabeza. Un ensayo controlado randomizado, llevado a cabo con 124 individuos, reportó una mejoría significativa en intensidad y duración de las migrañas en el 71% de los pacientes tratados con 5-HTP. De conformidad con los autores, estos resultados sugieren que el 5-HTP podría ser un tratamiento a elegir en la profilaxis de la migraña. Un experimento alemán llevado a cabo por G. de Benedittis, determinó que el uso del 5-HTP resultaba en una reducción, estadísticamente significativa de la frecuencia de las crisis de migraña. Finalmente, un grupo analizó la eficacia del 5-HTP en pacientes con migraña, dolores de cabeza varios, cefaleas psicogénicas y cefaleas causadas por contracturas musculares. Tras dos meses de tratamiento, el 48% de los individuos experimentó una reducción del 50% o más de los síntomas de sus dolores de cabeza.

En el año 2000, un informe sobre dolores tensionales de cabeza crónicos, llevado a cabo por la Sociedad Portuguesa de la Cabeza, estableció que el uso de 5-HTP daba lugar a una reducción significativa del consumo de analgésicos. Igualmente, este mismo estudio encontró una reducción significativa del número de días con dolor de cabeza tras dos semanas de tratamiento con 5-HTP.

Dosificación

La mayoría de las personas tratadas con 5-HTP toma 400-600 miligramos diarios para el dolor de cabeza. Dado que es bien absorbido por el intestino, puede tomar este suplemento con alimentos. Los efectos secundarios son inusuales, suaves y transitorios, y la mayoría consiste en ansiedad, náuseas e insomnio. No tome 5-HTP si padece enfermedad hepática o autoinmune. Quienes estén tomando antidepresivos o sustancias de la familia de la serotonina no deben tomar 5-HTP.

Igualmente, si esta usted embarazada o amamantando debería evitar este suplemento.

Coenzima Q10 (COQ10) contra la migraña

El estrés oxidante se ha visto implicado en una amplia gama de enfermedades, incluyendo las cardíacas, el envejecimiento prematuro y el cáncer. La coenzima Q10 es un poderoso antioxidante. Existen numerosos estudios que documentan su eficacia frente a los índices elevados de colesterol, las enfermedades cardiacas y algunas alteraciones neurológicas, como el Parkinson. Con todo, solo ha habido un estudio que relacione la CoQ10 con el dolor de cabeza. Este estudio clínico fue llevado a acabo por la Universidad Thomas Jefferson en Filadelfia en 2002 y trataba a 32 pacientes con migraña a los que se suministró 150 miligramos diarios de CoQ10 .

Tras tres meses de terapia, el número promedio de días con dolor de cabeza descendió de 7,34 a 2,95. Igualmente, el 61% de los participantes experimentó una reducción del 50% o más del número de días con migraña. El promedio de la reducción de la frecuencia del dolor de cabeza fue del 13,1% en el primer mes, pasando a un 55,3% en el tercer mes, lo que indicaba que cuanto más largo fuera el tratamiento con CoQ10 más efectivo

se volvía. No se observaron efectos secundarios y los autores concluyeron que la coenzima Q10 parece ser un buen preventivo de las migrañas. Aunque todavía hacen falta estudios adicionales en humanos para documentar el papel de CoQ10 como combativo de los dolores de cabeza, los resultados del estudio de esta prestigiosa institución son esperanzadores.

DOSIFICACIÓN

La dosis más frecuente de coenzima Q10 es de 50-200 miligramos diarios.

OMEGA-3 Y OMEGA-6 CONTRA LAS MIGRAÑAS

No todas las grasas producen los mismos efectos sobre el organismo. Los ácidos grasos poliinsaturados como el omega-3 y el omega-6 son lo que llamamos grasas "buenas", en tanto que las grasas saturadas, generalmente presentes en la bollería industrial y las patatas fritas de bolsa, son grasas "malas". Lo mejor del pescado es que es rico en ácidos grasos omega-3, una grasa que puede ayudarle a vivir más tiempo. Para hacerse una idea de lo que puede hacer el pescado, un estudio de Harvard analizó las hábitos dietéticos de 84.688 adultos y encontró que quienes consumían pescado de dos a cuatro veces por semana redujeron el riesgo de padecer enfermedades cardiacas en un 31%.

Considerando el importante papel que desempeñan los aceites del pescado en el mantenimiento de la salud en general, comer pescado es algo con lo que solo se puede salir ganando. El pescado hace "milagros" gracias a los ácidos grasos esenciales (AGEs), como el omega-3 y el omega-6. Los principales ácidos omega-3 son el ácido eicosapentaenoico (EPA) y el docosahexaenoico (DHA) y se encuentran en las anchoas, el atún, los arenques, las sardinas y el salmón. Puede encontrar omega-3 también en el aceite de semillas de lino, el aceite de nuez y la carne de caza. Si realmente quiere ingerir potentes DHA y EPA, pruebe un viejo remedio: el aceite de hígado de bacalao. Aunque el omega-6 es una grasa "buena", su exceso puede aumentar el riesgo de enfermedades cardiacas e hipertensión. No obstante, le recomiendo firmemente que mantenga un equilibrio sano entre los dos omegas dado que estas grasas resultan esenciales.

Existen muchas teorías acerca de por qué se sufren dolores de cabeza. Aunque hay muchas más dudas que respuestas, sabemos que citoquinas y leucotrienos se ven involucradas en algunos dolores de cabeza.

Algunos expertos creen que las citoquinas son responsables de los dolores de cabeza asociados a los alimentos. La buena noticia es que, aparte de

proteger su corazón, las grasas presentes en los pescados pueden bloquear la síntesis de los leucotrienos. Este proceso de bloqueo puede ser uno de los mecanismos que se encuentra tras los hallazgos de un estudio clínico controlado randomizado, publicado en 2002, que examinaba el resultado tras dos meses de tomar suplementos de aceite de pescado en 23 adolescentes con migrañas. Estos adolescentes notificaron reducciones significativas tanto en la frecuencia de los dolores como en la intensidad. El 87% tenía menos dolores de cabeza, en el 74% de los casos se había reducido la duración de los dolores y el 83% padecía cefaleas menos agudas. Similares resultados fueron notificados por estos mismos investigadores tras dos meses de uso de aceite de oliva: el 78% redujo la frecuencia, el 70% manifestó una reducción del dolor de cabeza y el 65% una reducción de la intensidad.

Dosificación

Como suplemento, la mayoría de los entendidos recomienda aproximadamente 10 gramos de aceite de pescado al día. Algunos expertos aumentan ligeramente la dosis sugiriendo una ingesta de 2-9 gramos de omega-3 y 9-18 gramos de omega-6. Puede cubrir estas cantidades simplemente añadiendo una cucharada sopera de aceite de lino a la comida una vez al día. Los expertos en nutrición también recomiendan consumir el aceite de pescado con un antioxidante como la vitamina E para conservar la potencia de estos aceites, que son extremadamente sensibles a la oxidación. Si no quiere tomar suplementos, recuerde que los pescados grasos como el salmón y el bacalao son ricos en ácidos grasos esenciales.

Melatonina contra la migraña, dolores de cabeza tensionales y las cefaleas en racimo

La melatonina es la hormona del sueño secretada por la glándula pineal, que se localiza en el interior del cerebro. La melatonina ha sido durante largo tiempo empleada para tratar alteraciones del sueño y cada vez hay más evidencias de que puede ayudar a quienes padecen migrañas y dolores de cabeza tensionales. Se han registrado alteraciones en la secreción natural de melatonina durante las migrañas, y algunos estudiosos opinan que cierta disfunción pineal pueda tener algo que ver. Del mismo modo, se han descrito bajos niveles de melatonina en personas que sufren migrañas y cefaleas en racimo.

Un estudio de los Países Bajos, de 1998, concluyó que los suplementos de melatonina contribuyeron al alivio de los síntomas del dolor de cabeza de 30 pacientes con alteraciones del sueño. Según el informe, tres mujeres de este grupo que padecían dolor de cabeza tensional crónico se encontraron con que los dolores desaparecieron tras dos semanas de suplementos. Del mismo modo, un paciente varón que sufría migrañas dos veces por semana notificó tan solo tres migrañas en un periodo de 12 meses. Otro paciente comunicó una reducción de la duración de sus cefaleas en racimo durante el experimento.

A pesar de este hallazgo, los informes respecto a la melatonina y las cefaleas en racimo son ambivalentes. Por ejemplo, un experimento clínico con placebo controlado llevado a cabo en 2002 con individuos con cefaleas en racimo fracasó en sus intentos de demostrar beneficios derivados de la melatonina. En sentido contrario, una reseña de la Clínica Mayo decía que la melatonina "puede ser de utilidad" frente a las cefaleas en racimo. Un pequeño experimento del Centro Médico Thomas Jefferson, "mi alma mater", concluyó que dos pacientes que sufrían de cefaleas en racimo vieron aliviados sus síntomas con melatonina. Otro estudio doble ciego con placebo controlado llevado a cabo con 20 pacientes con cefaleas en racimo mostró una reducción significativa de la frecuencia de los dolores de cabeza, con una tendencia a la disminución del uso de medicamentos. El 50% de quienes fueron tratados con melatonina experimentó una disminución en la frecuencia de los ataques tras 3-5 días de tratamiento, sin más crisis hasta la interrupción del suministro de melatonina. Según el estudio, no se manifestaron efectos secundarios.

Los mecanismos que se esconden tras el éxito de la melatonina son complicados; sin embargo, se sospecha que ciertos cambios en los receptores del dolor, así como en el reloj biológico, tengan algo que ver. Se han comunicado efectos secundarios de la melatonina, siendo el aletargamiento el más común. La asociación entre la melatonina y la reducción del deseo sexual, los dolores abdominales y los de cabeza está menos clara.

Dosificación

La mayoría de quienes son tratados con melatonina toma 3 miligramos de melatonina antes de irse a la cama. No tome melatonina si padece diabetes o intolerancia a la glucosa.

SAME (S-Adenosilmetionina) contra las migrañas

La SAMe desempeña un papel fundamental en muchos procesos bioquímicos y está involucrada en la producción de dopamina. Se han descrito ciertas disfunciones de la dopamina en los dolores de cabeza y juega un papel crucial en la depresión. La SAMe aumenta los niveles de dopa-

mina y esta es una de las razones por las que se piensa que este agente ha tenido éxito para tratar la depresión, la fibromialgia y la artritis.

Solo se ha llevado a cabo una investigación de la SAMe en relación con las migrañas. Esta investigación, realizada en 1986 por G. Gatto y otros, analizó el efecto del suministro de suplementos a largo plazo y notificó que la SAMe alivia el dolor en los pacientes con migraña, pero que los beneficios se obtienen gradualmente y es necesario un tratamiento a largo plazo para lograr una efectividad terapéutica". Los autores especulan con que la SAMe funciona mediante una modulación de la 5-hidroxitriptamina, otro agente conocido por sus efectos beneficiosos en los dolores de cabeza tensionales y en las migrañas.

Dosificación

La dosis típica de SAMe para la migraña es de 800 miligramos diarios. Los efectos secundarios son inusuales; el más frecuente son las molestias estomacales.

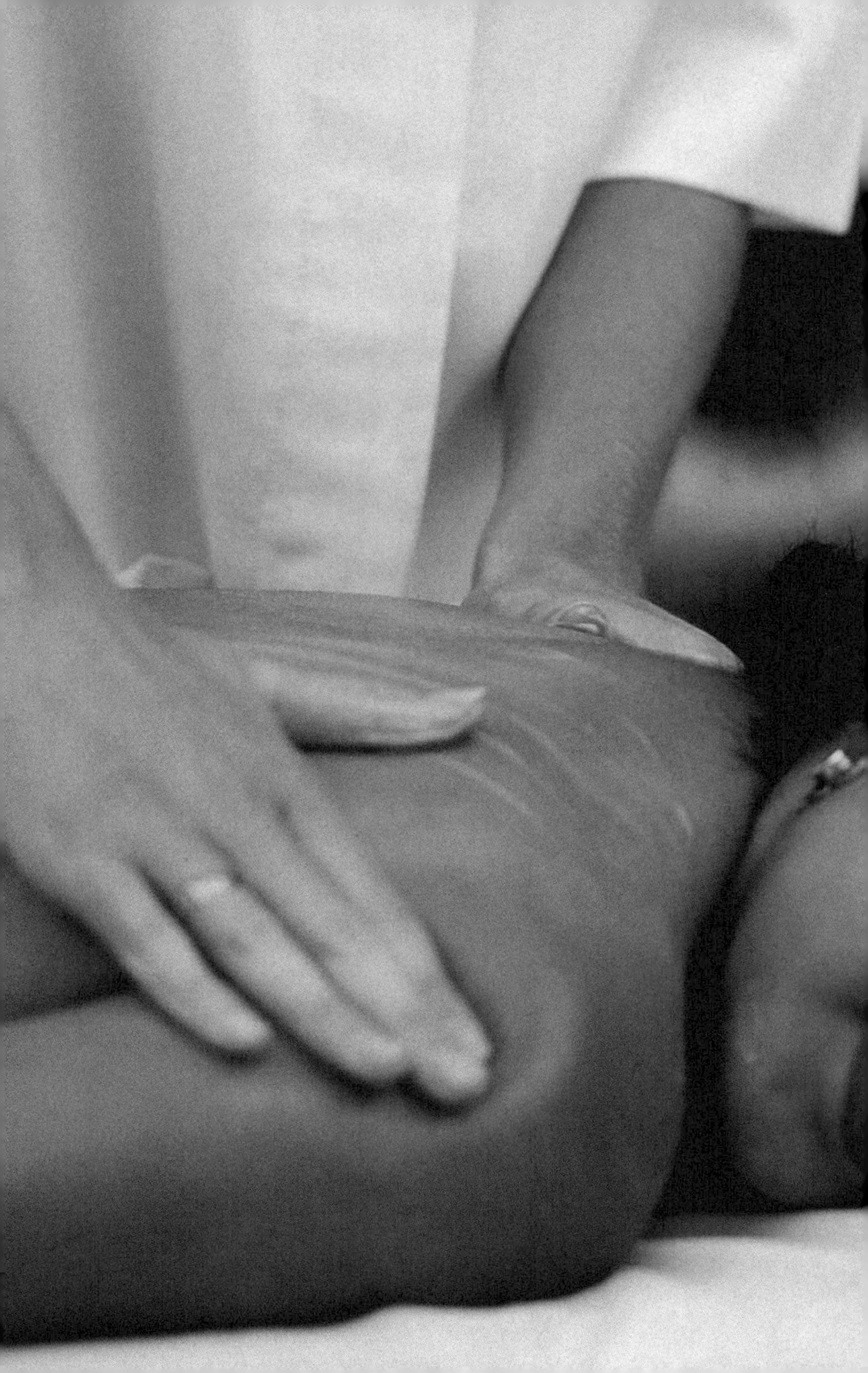

4

Terapias

La terapia conductual representa uno de los grandes logros en la terapia moderna del dolor de cabeza y aporta resultados similares a aquellos que se observan con la farmacoterapia tradicional. En promedio, la terapia conductual da lugar a una reducción del 35 al 50% de las migrañas y los dolores de cabeza tensionales. Sus técnicas principales son el biofeedback, la relajación y el manejo del estrés. Múltiples estudios han demostrado que la suma de la terapia conductual a la terapia con medicamentos es sinérgica por lo que al alivio de los dolores de cabeza se refiere. Sin duda, uno de los más comunes detonantes del dolor de cabeza, especialmente de las migrañas, es el estrés. A pesar de que no siempre resulta posible eliminar el estrés de su vida, hay diversas técnicas que pueden no solo ayudarle a aliviarlo, sino también a prevenir el dolor de cabeza. Estas terapias de alivio del estrés proceden de varias disciplinas e incluyen prácticas como el biofeedback, el masaje o los ejercicios aeróbicos.

Ejercicio aeróbico para la salud general

¿Por qué practicar ejercicio? El ejercicio es importante no solo para la mejoría de sus dolores de cabeza, tal y como se verá un poco más adelante, sino también para protegerle frente a la principal causa de mortalidad en los países occidentales: las enfermedades cardiovasculares. El ejercicio regular, especialmente el ejercicio aeróbico, fortalece el corazón y los pulmones, añadiendo activos y saludables años a su vida. Además de bajar el colesterol y proteger frente a las enfermedades cardiacas, una dieta sana, acompañada de ejercicio regular, reduce el riesgo de padecer cáncer, diabetes, hipertensión y otras enfermedades graves. El ejercicio ayuda a dormir mejor, aumenta los niveles de energía y potencia el sistema inmunológico. El ejercicio proporciona un mejor aspecto físico y mejora la vida sexual. Si padece diabetes, hipertensión, depresión, fibromialgia o cualquier otro problema crónico, el ejercicio hará que pueda controlar mejor la enfermedad. Más importante aún: le hará sentir mejor consigo mismo.

Tan pronto como se empieza a practicar ejercicio, tan pronto como se empieza a comer correctamente, tan pronto como se llega a un compromiso para vivir de modo saludable, sucede algo "mágico": se toma el control de la propia vida. Llevando una vida sana usted le dice al mundo: "Soy dueño de mi destino. Tengo el control. Esta es mi responsabilidad". Necesitamos esta actitud tanto para vencer los dolores de cabeza como para lograr el éxito en cuanto hacemos.

Hay tres ejercicios básicos que se deberían practicar regularmente: ejercicio aeróbico (como correr), ejercicio anaeróbico (como el levantamiento de peso) y estiramientos. Con frecuencia no se concede suficiente importancia a los estiramientos, pero resultan especialmente importantes porque pueden ayudar a evitar lesiones. A pesar de que estos tres tipos de ejercicio son importantes, si solo pudiera practicar uno de ellos, me decidiría por el aeróbico. Los ejercicios aeróbicos, como caminar, la natación, montar en bicicleta o correr, entrenan el corazón y pulmones para "trabajar en equipo". Es el ejercicio aeróbico el que le ayudará no solo a prevenir dolores de cabeza, sino a mejorar su calidad de vida.

El tipo de ejercicio aeróbico que elija depende de su nivel de entrenamiento físico y su personalidad. Si ha pasado años en el sofá, le sugiero que comience caminando media hora al día. Puede caminar por su barrio, por un parque o por el bosque. El lugar elegido depende de dónde viva y de lo cómodo se sienta caminando. Si está en forma y goza de buena salud, puede caminar casi por cualquier lugar que se proponga. Si tiene muchos condicionantes médicos y no ha caminado solo desde hace tiempo, le sugiero que lo haga en algún lugar donde haya más personas. Tras dos semanas de caminar a diario, aumente su paseo a una hora al día. Conforme vayan pasando las semanas querrá aumentar el ritmo. Para asegurarse de que está llevando a cabo un buen entrenamiento, debe respirar algo más rápido de lo normal, pero sin llegar a quedarse sin aliento ni tener que pararse y descansar.

Recuerde mantenerse bien hidratado durante el ejercicio. El agua es esencial para la vida y si se practica ejercicio correctamente se suda. La reposición del agua eliminada durante el ejercicio es especialmente importante para los asmáticos, no solo para evitar el agotamiento por calor, también para prevenir la deshidratación. La mejor reposición de fluidos es el agua. Lo crea o no, todas esas bebidas "deportivas", caras y tan de moda, pueden propiciar la deshidratación, llevando agua de su cuerpo a su estómago para posibilitar la digestión de un montón de edulcorantes y electrolitos. El reemplazo de sales y electrolitos normalmente solo resulta necesario en el caso de los atletas sometidos a una fuerte transpiración.

Volviendo al ejercicio aeróbico, tras un par de meses de paseos, se puede probar a montar en bici, nadar o participar en una clase de aeróbic. Una vez

más, el tipo de actividad elegida dependerá de su nivel de preparación, su personalidad y dónde viva. Si vive en una gran ciudad, montar en bici puede no ser una opción realista y tal vez sea mejor que participe en una clase de aeróbic o que vaya a un gimnasio en el que pueda nadar. Lo bueno del aeróbic es que existen clases de todos los niveles y no tendrá problema en encontrar aquella que sea más adecuada para usted. Dado que nadar, montar en bicicleta y practicar aeróbic suelen ser actividades más intensas que caminar, no es necesario practicarlos tan a menudo para mantenerse en forma: 30-45 minutos cada dos días es suficiente.

Como en cualquier tipo de ejercicio, su filosofía debería ser ir lentamente y preparando el terreno. En el caso del ejercicio aeróbico moderado, se debe llegar a respirar algo más rápido que cuando se camina. No le avergüence descansar si así lo necesita: al principio es mejor desarrollar fortaleza aeróbica que machacar el cuerpo. Mi aversión a contar calorías es aún mayor que la que siento por los índices cardiacos. Las extravagantes fórmulas para establecer objetivos de ratios cardiacos son innecesarias para la mayoría de la gente. Cuando practico ejercicio presto atención a lo que dice mi cuerpo. Sabes que estás haciéndolo correctamente si respiras más rápidamente de lo normal, pero eres capaz de mantener una conversación. En otras palabras: uno quiere sentir que está trabajando, pero no como si se estuviera muriendo. Si no puede mantener su respiración o acabar una frase está trabajando demasiado duro y debería reducir el ritmo. A menos que se encuentre en un excelente nivel competitivo, deje para los atletas esta cuestión de machacar el corazón y el cuerpo. Para cualquier persona que quiere mantenerse en forma y no pretende engancharse a ningún deporte de alta intensidad, recomiendo que se dedique a algún ejercicio aeróbico moderado. Este ofrece beneficios para la salud similares a los del ejercicio aeróbico intenso sin riesgo de sufrir daños.

Antes de practicar ejercicio más fuerte, asegúrese de haber practicado ejercicio aeróbico de nivel medio a alto con algún entrenamiento de pesas y suficientes estiramientos. En otras palabras: no se levante un buen día y decida que, tras diez años sentado, va a correr la maratón. Realmente pone en peligro su vida si pasa de no mover un dedo a hacer de "superman" de la noche a la mañana.

Si ha estado practicando ejercicio regularmente a lo largo del último año y no tiene otro tipo de problemas médicos que le prevengan de hacer ejercicio, entonces no hay razón por la que no pueda pasar al siguiente nivel. Por supuesto, siempre es una buena idea consultar con su médico antes de embarcarse en un nuevo programa de ejercicio, especialmente si pretende forzar su cuerpo.

Qué ejercicios elija depende de su personalidad y del tiempo de que disponga. Con el ejercicio

aeróbico me gusta variar y no repetir los mismos ejercicios a diario. Cuando uno practica los mismos ejercicios cada día el cuerpo se habitúa y no se obtienen los resultados óptimos. Diferentes ejercicios mantienen el cuerpo en buena forma obligándolo a constantes cambios. Corra un día, descanse otro, entonces monte en bici al siguiente. ¡Varíe! El entrenamiento cruzado es bueno.

Si no está habituado al deporte, le recomiendo firmemente que acuda a un gimnasio. Un equipo de calidad para practicar ejercicio puede resultar caro y en la mayoría de los gimnasios hay maquinaria necesaria para practicar múltiples ejercicios. También se trata de una cuestión de seguridad. Si algo "malo" sucede, probablemente ocurra durante los primeros días y es preferible tener a alguien que pueda ayudarle. Los gimnasios también pueden ser útiles en los días en los que la contaminación atmosférica es alta. Y un punto más a favor de los gimnasios: es grato interactuar con gente con intereses comunes, alentándose mutuamente y aprendiendo de los aciertos y errores ajenos. De hecho, podría plantearse la posibilidad de contratar a un entrenador personal que le enseñe a practicar ejercicio correctamente y de forma segura.

EL EJERCICIO AERÓBICO PARA LA MIGRAÑA Y LOS DOLORES DE CABEZA EN GENERAL

Muchos estudios han documentado el efecto beneficioso del ejercicio aeróbico para las migrañas. Un experimento analizó el efecto de practicar una hora de ejercicio aeróbico tres veces por semana en pacientes con migrañas. Según el mismo, "intensidad, frecuencia y duración del dolor" se redujeron significativamente. En este estudio, los autores pensaban que el aumento de los niveles de óxido nitroso era responsable de la mejoría de los síntomas. Otro beneficio potencial del ejercicio aeróbico es que puede influir en la función mitocondrial. Los pacientes con migraña sufren cierta disfunción mitocondrial y puede estar relacionada con la agudeza de la migraña.

Un beneficio adicional del ejercicio aeróbico es que puede ayudar a aliviar el cansancio. La fatiga es un problema común que se aprecia en el 85% de los pacientes con migrañas.

Sin duda, el mejor tratamiento tanto para la migraña como para cualquier patología es un acercamiento multidisciplinar. Tal acercamiento es la filosofía de un grupo de investigadores de Canadá, que analizó un programa de ejercicio, control del estrés, terapia de relajación, dieta y masaje en 40 pacientes con migraña. De conformidad con este informe, dichos pacientes experimentaron cambios positivos estadísticamente significativos en la frecuencia del dolor, su intensidad y duración, en la calidad de vida y en el estado de su salud físico y psíquico, cambios que se mantuvieron durante los tres meses de seguimiento.

Finalmente, según se publicó en *Medical Clinics of North America*, "hay pocas dudas, sin embargo, de que el ejercicio aeróbico ofrece alivio efectivo frente a muchas situaciones provocadas por el estrés, incluido el dolor de cabeza". Dados los evidentes beneficios para la salud que brinda el ejercicio, un programa de ejercicio aeróbico es casi obligado para quienes padecen dolores de cabeza. Como de costumbre, asegúrese de ser evaluado e informado por un profesional de la salud en caso de que decida iniciar un nuevo programa de ejercicio.

Existe poca literatura en relación al dolor de cabeza cervicogénico: un experimento controlado, randomizado y multicentro de Australia ha investigado el ejercicio aeróbico. En 2000, estos investigadores de la Universidad de Queensland encontraron que, en los 50 individuos que lo practicaron, hubo una reducción significativa del dolor de cuello, así como de la intensidad y duración de los dolores de cabeza. Es igualmente impresionante que estos resultados persistieran a lo largo de los 12 meses que duraba el periodo de seguimiento.

Acupuntura

Con más de 2000 años de antigüedad, la acupuntura ha sido utilizada por los chinos para tratar toda enfermedad conocida. La acupuntura emplea agujas estratégicamente colocadas en puntos que se supone que equilibran el yin y yang y reestablecen la salud incrementando los flujos de energía que circulan a través de diversos “canales”. A veces, se hace pasar una ligera corriente eléctrica a través de la aguja de acupuntura para potenciar este efecto.

Hay 365 puntos específicos de acupuntura con varios miles de puntos adicionales localizados en manos, cabeza y orejas. En Occidente la acupuntura se emplea para tratar dolores crónicos, así como la adicción al alcohol y las drogas. El modo en que funciona la acupuntura ha sido objeto de controversia durante décadas. No obstante, investigaciones recientes han arrojado nueva luz sobre el modo en que esta antigua práctica ofrece beneficios. De acuerdo con una investigación de Harvard, la acupuntura redistribuye el flujo sanguíneo en el cerebro, posiblemente incomunicando centros de modulación del dolor. Múltiples estudios han analizado los efectos beneficiosos de la acupuntura sobre las migrañas. En un estudio reciente, se concluyó que el 81% de aquellos que sufrían dolores de cabeza crónicos experimentó una mejoría de los síntomas por medio de la acupuntura. En otro experimento en Austria se prac-

ticó esta técnica sobre 26 pacientes con migrañas crónicas. Siguiendo el tratamiento, el 69% de los pacientes notificó mejoría de los síntomas; el 58% de los participantes mantuvo la mejoría durante tres años. Los autores también encontraron que el uso de medicamentos se redujo en un 50%.

Otro experimento clínico controlado randomizado comparó el uso de metoprolol con el de acupuntura en 85 personas con migrañas. Según el estudio, publicado en *Journal of Internal Medicin* en 1994, la acupuntura era equiparable al metoprolol en la influencia sobre la frecuencia y duración de los ataques (pero no en severidad) y superior en términos de efectos negativos secundarios.

Hay datos realmente impactantes: un estudio clínico controlado randomizado comparó la acupuntura con la flunaricina en 160 mujeres con migrañas. Según el informe, la acupuntura fue capaz de reducir significativamente el número de ataques de migraña a los dos y a los cuatro meses de tratamiento en comparación con la flunaricina; sin embargo, estas diferencias desaparecieron tras seis meses. También se observó un menor uso de medicación para la migraña en el grupo de la acupuntura. Los autores concluyeron: "La acupuntura ha demostrado ser adecuada para la profilaxis de la migraña. En relación con la flunaricina, el tratamiento con acupuntura ha mostrado una mayor efectividad en los primeros meses de terapia y una tolerancia superior".

Un ensayo publicado en 2003 encontró que la acupuntura ofrecía mejores resultados que la TENS (estimulación eléctrica transcutánea nerviosa) y la terapia con láser para la reducción de la frecuencia de los ataques de migraña. La acupuntura también ha sido analizada para el tratamiento de las crisis agudas de migraña. Un estudio multicentro controlado randomizado en Alemania, llevado a cabo por D. Melchart y otros en 2003, informó de que "una crisis total de migraña fue prevenida en 21 de 60 (35%) pacientes que recibían acupuntura".

En un estudio llevado a cabo con 41 pacientes con migrañas y dolores de cabeza tensionales, más del 50% de los participantes notificaron mejoría de los síntomas con la acupuntura, con nueve pacientes con un alivio "muy acusado". Otro estudio, publicado en la *Revista Americana de Medicina China*, reportó que la acupuntura era efectiva en el alivio de los síntomas de los dolores de cabeza tensionales. Un estudio reciente con 69 individuos en Alemania encontró una "significativa, pero leve mejoría" de los dolores de cabeza tensionales tratados con acupuntura.

La estimulación eléctrica percutánea nerviosa (PENS)

En la estimulación eléctrica percutánea nerviosa (PENS) se hace uso de una pequeña corriente eléctrica que pasa a través de agujas localizadas en puntos estratégicos del cuerpo, una especie de "acupuntura animada". Hay dos estudios que han analizado el uso de PENS para el dolor de cabeza. En uno de ellos, llevado a cabo por el Centro del Dolor Eugene Mc Dermott en Dallas, se empleó la PENS para tratar a 30 pacientes con migrañas y dolores de cabeza tensionales o post-traumáticos. Los autores, Ahmed y otros, encontraron que la PENS era superior a las agujas por sí solas utilizadas durante dos semanas, tres veces a la semana durante 30 minutos. Según el artículo, mejoraron en los dolores tensionales, las migrañas y los dolores de cabeza post-traumáticos en un 58%, 59% y 52% respectivamente. También se dieron mejorías similares en la calidad del sueño y la actividad física. El otro estudio es un informe de un caso en el que la PENS fue empleada con éxito para la prevención de migrañas siguiendo terapia electroconvulsiva.

La estimulación eléctrica transcutánea nerviosa (TENS)

Otra técnica de estimulación eléctrica utilizada para tratar el dolor es la estimulación eléctrica transcutánea nerviosa (TENS). La TENS hace uso de pequeñas corrientes eléctricas aplicadas a la piel que llegan hasta el músculo. Mientras la TENS es utilizada habitualmente para tratar el dolor de espalda, solo hay un estudio acerca de la TENS para la migraña. Dicho estudio clínico controlado randomizado publicado en 2003 encontró que dos semanas de TENS reducían significativamente el número de días con migrañas en las 20 mujeres tratadas. Son necesarios estudios adicionales; sin embargo, dado que la TENS y la PENS son procedimientos de bajo riesgo, aquellos que no hayan obtenido éxito con otra terapias deberían hacer una prueba con estas.

Biofeedback

El *biofeedback* entrena a las personas para ejercer un control sobre funciones corporales como la respiración o la presión sanguínea. Este entrenamiento parece ser especialmente útil en casos clínicos en los que los factores psicológicos desempeñan un papel importante. El *biofeedback* se utiliza con éxito en el tratamiento del dolor, la ansiedad, el insomnio y el asma. Es especialmente popular para el tratamiento de niños con dolores de cabeza, no existiendo ningún efecto secundario en comparación con los potenciales efectos secundarios de los medicamentos tradicionales contra el dolor de cabeza.

Diversos ensayos han investigado el impacto del *biofeedback* electromiográfico (EMG) sobre los dolores de cabeza tensionales. Un estudio, llevado a cabo por L. Gras y otros en 2001, examinó a 38 jóvenes a lo largo de un periodo de tres años. En él se constató que los dolores de cabeza mejoraron considerablemente inmediatamente tras el tratamiento, con posteriores beneficios evidentes a lo largo de tres años. Otro estudio clínico controlado randomizado llevado a cabo en 1995 desde la Clínica de *Biofeedback* y Alteraciones Psicológicas en Georgia comparó la eficacia de tres técnicas de *biofeedback*: 12 sesiones estándar de *biofeedback* frontal EMG, 12 sesiones estándar de *biofeedback* EMG en trapecios superiores y 7 sesiones estándar de terapia de relajación muscular progresiva. La frecuencia de los dolores de cabeza se redujo en los tres grupos con un 100% de manifestaciones de reducción del dolor de cabeza en el caso del grupo de trapecios.

Un estudio de 1991 acerca de los dolores de cabeza tensionales y el uso de *biofeedback* EMG determinó que la mitad de los sujetos experimentaba una reducción del 50% o más en la frecuencia de los dolores de cabeza. Los autores señalaron que el *biofeedback* aumentaba el número de días sin dolor de cabeza y reducía los picos de dolor y el uso de medicación.

El *biofeedback* también ha sido estudiado para las migrañas. En un estudio clínico controlado randomizado de la Universidad de Alabama, 30 niños fueron tratados con *biefeedback*. No solamente mejoró la duración y frecuencia de los dolores de cabeza, sino que, a los seis meses, el 80% del grupo no presentaba síntomas. En otro experimento, 32 niños con migrañas recibieron entrenamiento en relajación, *biofeedback* de la temperatura y entrenamiento cognitivo. El 45% de ellos experimentó una mejoría que se mantuvo a lo largo de los siete meses de seguimiento. Según los autores, esta mejoría fue la consecuencia de una reducción del estado de ansiedad y un aumento de la habilidad para relajarse. Hallazgos similares se han observado en adultos con migrañas; un estudio notificó reducciones significativas del dolor, la depresión y la ansiedad.

Por último, en 1992, un estudio examinó a 34 pacientes con dolores de cabeza crónicos comparando la terapia autogénica de relajación del *biofeedback* electromiográfico (EMG) con la terapia autogénica de relajación del *biofeedback* de temperatura. Aunque ambas técnicas se mostraron efectivas, el *biofeedback* de relajación con EMG resultó superior.

QUIROPRAXIS PARA LAS MIGRAÑAS, LOS DOLORES TENSIONALES Y LOS DOLORES CERVICOGÉNICOS

La quiropraxia se basa en la premisa de que el alineamiento de las articulaciones y los músculos respecto a unos y otros y con la columna vertebral influye en la salud. Los quiroprácticos tratan de influir en la salud y las enfermedades mediante la manipulación manual de estas estructuras. Sin duda, quienes padecen dolores musculoesqueléticos y de cabeza se benefician con frecuencia de la manipulación quiropráctica. Una de las razones por la que la quiropraxis es efectiva para tratar las migrañas y los dolores de cabeza tensionales es porque ambos síndromes se asocian a una disfunción espinal y musculoesquelética.

Diversos estudios han analizado el impacto de la manipulación quiropráctica sobre los dolores de cabeza. Un estudio clínico controlado randomizado de Australia reportó que la frecuencia de las migrañas, la duración, la inhabilitación que generaban y el uso de medicamentos decreció significativamente siguiendo manipulación espinal. Además, el 22% de los sujetos del estudio manifestó una reducción de las migrañas del 90% tras dos meses de terapia. Otro estudio comparó la manipulación espinal con la amitriptilina para las migrañas. Este estudió concluyó que durante el tratamiento activo con amitriptilina se redujo la intensidad del dolor el 49%, frente a solo el 40% con la manipulación espinal. Sin embargo, durante el periodo de seguimiento posterior al tratamiento la reducción fue del 24% para la amitriptilina y del 42% en el caso de la manipulación espinal.

Aunque los datos son limitados, los estudios también sugieren que la manipulación puede ayudar en los casos de dolores de cabeza tensionales. Un experimento clínico controlado randomizado del Colegio de Quiroprácticos del Noroeste comparó la manipulación espinal con la amitriptilina en relación a los dolores de cabeza tensionales. Estos investigadores encontraron que, en el grupo de la manipulación espinal, el 32% tenía dolores de cabeza menos intensos, el 42% redujo la frecuencia de los mismos y el 30% empleó menos medicación que antes. Sorprendentemente, el grupo tratado con amitriptilina no mejoró y algunos participantes incluso experimentaron un leve empeoramiento de los síntomas. Además, el 82,1% del grupo de la amitriptilina padeció efectos secundarios, frente al 4,3% de los del grupo de la manipulación.

Los autores llegaron a la conclusión de que los pacientes que recibieron una terapia de manipulación espinal experimentaron un beneficio terapéutico sostenido en todos los aspectos principales en contraste con los pacientes que fueron tratados con amitriptilina, los cuales retornaron al punto de partida. Aunque serían necesarias más investiga-

ciones para confirmar estos hallazgos, el estudio da un claro apoyo a la manipulación para el tratamiento de los dolores tensionales. Se admite que estos resultados son esperanzadores; no obstante, no todos los estudios han demostrado hallazgos positivos. Por ejemplo, un experimento clínico controlado randomizado sobre la práctica clínica de la manipulación espinal para el tratamiento de dolores de cabeza tensionales episódicos encontró que este tratamiento no parecía tener un efecto positivo sobre este tipo de dolores de cabeza.

Por último, diversos estudios analizan la manipulación para los dolores de cabeza cervocogénicos. Se llevó a cabo un experimento clínico controlado randomizado con 28 individuos que recibieron manipulación cervical de alta velocidad y baja amplitud dos veces a la semana durante tres semanas. Estos investigadores encontraron que con la manipulación cervical el uso de medicamentos descendió en un 36%, el número de horas diarias con dolor de cabeza disminuyó en el 69% y la intensidad en el 36%. Los autores concluyeron que la manipulación espinal tiene un efecto significativamente positivo en casos de dolor de cabeza cervicogénico.

En 2002, otro experimento controlado, randomizado y multicentro en Australia investigó la terapia de manipulación en 50 individuos con dolor de cabeza cervicogénico. Estos investigadores de la Universidad de Queensland concluyeron que la terapia de manipulación producía una reducción significativa del dolor de cuello, así como de la intensidad y la duración del dolor de cabeza. Es más, estos resultados persistieron a lo largo de los 12 meses del periodo de seguimiento.

Para la mayoría de la población el tratamiento quiropráctico es relativamente seguro, siendo los efectos secundarios más comunes la fatiga, las cefaleas, el dolor y las molestias en la zona tratada. La manipulación espinal, sin embargo, conlleva el riesgo poco probable de una disección vascular. Esta tiene lugar cuando una arteria se rasga longitudinalmente, dando lugar a una ruptura parcial del vaso, lo que puede causar desde un leve dolor de cabeza hasta una apoplejía. Por lo tanto, el uso de la manipulación espinal contra el dolor de cabeza debe abordarse con precaución extrema. A pesar de la existencia de informes favorables, dadas las complicaciones potenciales de la manipulación espinal, yo la recomendaría como última posibilidad.

Terapia de masaje

En la terapia de masaje se emplea el masaje o el tacto en diversas zonas del cuerpo para potenciar la relajación y aliviar el estrés o el dolor. Diversos investigadores han explorado con éxito el impacto de la terapia del masaje sobre los dolores de cabeza tensionales. En 1990, K. Puustjarvi y otros siguieron a 21 pacientes con dolores de cabeza tensionales crónicos mientras estos se sometían a seis meses de tratamiento con masaje profundo tisular en la parte superior del cuerpo. Durante el periodo de tratamiento, estos sujetos experimentaron un aumento de la movilidad de su cuello con una reducción de los dolores. De igual modo, el número de días con dolor se redujo significativamente. Los autores concluyeron que "este estudio confirmó los efectos clínicos y psicológicos del masaje". En 2002, un estudio del Colegio de Terapias de Masaje Boulder de Colorado afirmó que el masaje reducía la frecuencia y duración de los dolores de cabeza tensionales.

La terapia del masaje parece ser especialmente efectiva si se combina con otros tratamientos. Por ejemplo, en 1996, un estudio del Centro Médico de la Piedad involucró a veinte pacientes en un periodo de tres semanas de educación postural, ejercicio isotónico, masaje y estiramientos de cuello. Estos investigadores señalaron que no solo hubo mejorías significativas en los síntomas de los dolores de cabeza, sino que además esos beneficios se mantuvieron a lo largo de un año.

También existen datos acerca del masaje para el tratamiento de la migraña. Un experimento de 1997, llevado a cabo por K. R. Wylie y otros, descubrió que la terapia de masaje/relajación daba lugar a una significativa mejoría en la valoración del dolor. Otro estudio abordaba la prevención de la migraña por medio del masaje de las arterias superficiales temporales.

Como en toda alteración, el mejor tratamiento es un acercamiento multidisciplinar. Un grupo de investigadores de Canadá estudió un programa de ejercicio, control del estrés, dieta y terapia de masaje en 41 pacientes con migraña. De conformidad con su informe, siguiendo el tratamiento, estos individuos experimentaron positivos cambios estadísticamente significativos en la frecuencia del dolor, su intensidad y duración, la calidad de vida, el estado de general de salud, la incapacidad derivada del dolor y la depresión, cambios que persistieron durante los tres meses de seguimiento. Dados estos hallazgos y el perfil de bajo riesgo de la terapia del masaje, esta modalidad es altamente recomendada para cualquiera que padezca dolores de cabeza.

Terapia física

Haciendo uso de la combinación del tacto, ejercicio y técnicas de estiramiento, la terapia física puede tratar una amplia variedad de alteraciones, desde un golpe hasta una rehabilitación post-traumática pasando por un dolor de cabeza. A pesar de que los datos relativos a la terapia física para el tratamiento del dolor de cabeza son limitados, de la literatura disponible se desprende que parece que

este tratamiento puede funcionar. Esto es particularmente cierto si la terapia física se combina con otros tratamientos, como el *biofeedback*.

Por ejemplo, un estudio del Centro Médico La Piedad trató a 20 pacientes en un periodo de tres semanas con educación postural, ejercicio isotónico, masaje y estiramientos de cuello. Estos investigadores notificaron mejorías significativas en los síntomas del dolor de cabeza que se mantuvieron durante un año. Otro estudio del Centro Médico de la Universidad de Pittsburg, en 1998, determinó la mejoría de los síntomas del dolor de cabeza en el 14% de aquellos que solo recibieron terapia física frente al 47% de participantes que habían combinado terapia física con entrenamiento para la relajación y biofeedback termal. Revisando la literatura se desprende que la terapia física combinada con otra técnica de tratamiento puede ser valiosa para paliar el dolor de cabeza.

Reflexología

La reflexología emplea la manipulación de puntos de presión en el cuerpo para aliviar el dolor y mejorar la salud. Un estudió analizó el papel de la reflexología en 220 individuos que padecían dolores de cabeza tensionales y migrañas durante seis meses. A los tres meses, los autores encontraron que el 81% de los participantes manifestaba que los tratamientos le eran de ayuda o que se había curado de sus dolores de cabeza. El 19% dejó de tomar medicación. Serían necesarios más estudios que observaran el papel de la reflexología frente al dolor de cabeza; sin embargo, dados estos alentadores resultados iniciales junto con el perfil de bajo riesgo de este método, es una terapia aconsejable.

Grupos de apoyo

Padecer dolores de cabeza con frecuencia resulta duro y puede ser útil hablar con otras personas que compartan sus problemas. Hay multitud de grupos de apoyo para el dolor de cabeza y fuentes on-line disponibles para adultos y niños con dolores de cabeza. Una fuente on-line excelente que ofrece una lista por estados de los grupos de apoyo para el dolor de cabeza puede encontrarse en www.headaches.org/consumer/supportgroups.htlm. Una extensa base de datos de información relativa al dolor de cabeza es patrocinada por el Consejo Americano para la Educación del Dolor de Cabeza (ACHE). ACHE fue fundada en 1990 y su página web se puede visitar en www.achenet.org . Para aquellos que deseen tener una experiencia *on-line* de participación en un grupo de apoyo para el dolor de cabeza, una página fantástica que ofrece información y chats de grupos de apoyo es www.headaches supportgroups. com/ aboutus.htm.

Otros lugares de interes pueden ser también:

* Asociación Española de Pacientes con Cefalea AEPAC, de Valencia.Teléfono 902885050 y página web: www.aepac.es.

* Clínica del dolor del Centro Médico Teknon de Barcelona. Para más información se les puede contactar al correo electrónico info@teknon.es.

* Clínica del Dolor y la Migraña (México). Su página web es: www.cefaleaymigraña.com. Lo interesante de este *site* es que incluso cada uno se puede hacer un diagnóstico de la migraña *on-line*.

5

Medicamentos

A pesar de nuestros mejores esfuerzos, siempre habrá personas que necesitarán medicación para controlar sus dolores de cabeza. De todas las terapias frente al dolor de cabeza acerca de las que tanto se ha discutido, la intervención farmacológica es la que ha demostrado ser la más eficaz para la mayoría. Sin duda, el mejor ataque es una buena defensa, y la eliminación de los detonantes, cuando están identificados, es la intervención más importante que puede usted llevar a cabo en relación a los dolores de cabeza.

No hay duda de que los medicamentos pueden tener efectos secundarios. Lo que encuentro sorprendente, sin embargo, es que distintos autores "calumnien" los medicamentos contra el dolor de cabeza denominándolos "veneno" y acusándolos de causar más daño que beneficios. Aunque es cierto que muchas medicaciones tienen efectos secundarios perjudiciales, y que algunos médicos se apoyan demasiado en el uso de medicamentos para el tratamiento del dolor de cabeza, sin considerar otras alternativas, también es cierto que hay millones de personas cuya calidad de vida se ha visto mejorada por estos fármacos. No obstante, uno de los problemas más comunes respecto al uso de fármacos para el tratamiento del dolor de cabeza, especialmente el crónico, es que estos agentes pueden causar dolor de cabeza.

Conocido como "dolor de cabeza por efecto rebote de analgésicos" o "dolor de cabeza por exceso de medicación", este síndrome puede darse en una persona que habitualmente tome medicación para tratar el dolor de cabeza. Una vez es retirada la medicación, el sujeto experimenta dolor de cabeza como resultado de su interrupción, necesitando por ello un uso más frecuente del medicamento. Así se inicia un círculo vicioso de dolor de cabeza seguido por uso crónico de medicación, que conduce a este síndrome. Como médico he tratado a muchas personas con este patrón habitual de uso de los medicamentos. Sin lugar a dudas, el único modo de abordar este problema es convencer al paciente para que se abstenga totalmente de tomar medicación durante una semana y vea si los dolores de cabeza son recurrentes o desaparecen - una experiencia que, admito, resulta desagradable, pero necesaria.

El conocimiento es poder, y cuanto más sepa usted acerca de las medicinas que toma más efectivas resultarán. Aunque el propósito de este libro es librarle de su medicación o reducir drásticamente la cantidad de medicación que tome, el objetivo de este capítulo es que pueda tener unas ideas claras respecto a los efectos secundarios de la medicación, obteniendo a la vez el mayor beneficio. Si se utilizan adecuadamente, las medicinas pueden ser buenas. Indudablemente, aunque la mayoría de estos agentes, cuando se emplean correctamente, son seguros y efectivos, algunos tienen efectos secundarios adversos, que van desde la sedación hasta las arritmias cardiacas. Para la mayor parte de quienes padecen dolores de cabeza, sin embargo, los efectos secundarios más preocupantes son la sedación y el cansancio.

Respecto a la migraña, el principio básico de la terapia con medicamentos es controlar los síntomas con la menor cantidad posible de ellos. Dependiendo de la severidad de los síntomas, se pueden utilizar uno o varios medicamentos. Los médicos suelen comenzar con un medicamento y añadir fármacos adicionales según va resultando necesario. Una vez que los síntomas muestran una mejoría estable, muchos médicos retirarán lentamente el tratamiento hasta reducir al máximo posible el uso del mismo por parte del paciente. Indudablemente, siguiendo un tratamiento efectivo, algunas personas son capaces de mantenerse sin medicación por un tiempo, sus síntomas mejoran notablemente y padecen menos ataques y de menor severidad.

Quienes tienen síntomas leves de dolor de cabeza suelen responder bien a la terapia oral, en tanto que aquellos con síntomas severos pueden necesitar medicación intravenosa. Aunque son muchos los fármacos empleados para tratar los dolores de cabeza, los tres grupos principales de medicamentos son los antiinflamatorios, los agonistas de la serotonina y los antagonistas de la dopamina. Como para tantas patologías, lo que funciona en un individuo puede no funcionar en otro, y cierta prueba acierto-error es necesaria para encontrar los productos adecuados. El tratamiento del dolor de cabeza ha de ser individualizado, y debe contar con que su médico se tome el tiempo necesario para averiguar lo que va mal, lo que funciona y lo que no. Algunas personas notarán alivio efectivo con un fármaco mientras que otras pueden probar multitud de medicamentos en diferentes combinaciones obteniendo tan solo modestos resultados.

Con respecto a la migraña, si tiene que tomar medicación es importante que lo haga bajo la supervisión de un experimentado profesional. En general, la medicación contra la migraña debe ser tomada al comienzo de un ataque y la dosis incrementada si el ataque no responde a la terapia inicial.

A continuación se hace una revisión de fármacos más comunes empleados contra el dolor de cabeza y sus ventajas e inconvenientes.

Paracetamol

Si se utiliza adecuadamente, el paracetamol es una medicina relativamente segura y efectiva. Como es tan corriente, la gente asume con frecuencia, erróneamente, que no tiene efectos secundarios perjudiciales para la salud. El más grave de ellos es que daña el hígado, lo que puede ser fatal. Suele ser necesaria una sobredosis significativa e intencionada de paracetamol para dañar el hígado; sin embargo, los pacientes con enfermedad hepática corren el riesgo de que su hígado se vea dañado por el paracetamol, incluso con un uso moderado.

Aunque la conciencia acerca de la capacidad del paracetamol para intoxicar el hígado ha aumentado gracias a la información, también puede dañar los riñones si se usa inadecuadamente. El paracetamol interactúa con múltiples medicamentos. Similar a la aspirina, quienes estén tomando anticoagulantes deberían abstenerse de tomar paracetamol. Del mismo modo, no debería utilizarse con alcohol. Además cuenta con todo un historial de interacción con los medicamentos para prevenir la apoplejía. No obstante, cuando se emplea adecuadamente, el paracetamol puede ayudar a aliviar los síntomas del dolor de cabeza de un modo seguro.

Aspirina (Ácido acetilsalicílico)

Un viejo medicamento, la aspirina, ha sido utilizado durante décadas para aliviar todo tipo de dolores, así como la fiebre. La aspirina funciona reduciendo la síntesis de prostaglandina, un agente químico involucrado en la mediación del dolor. Frente a la fiebre, la aspirina actúa en el hipotálamo, ayudando a normalizar la temperatura corporal. La idea que tiene la mayoría sobre la aspirina es similar a la del paracetamol, y muchas personas asumen que, por el hecho de ser algo tan corriente, ha de ser algo seguro. Aunque la mayoría de quienes toman aspirina no sufren efectos secundarios adversos, este medicamento puede causar molestias estomacales, ocasionalmente acompañadas de hemorragias internas. Otros inusuales efectos secundarios incluyen el descenso de glóbulos blancos y plaquetas. Los glóbulos blancos son importantes para combatir las infecciones y las plaquetas son necesarias para que la sangre coagule y para el control de las hemorragias. Esta es la razón por la que algunas personas que toman aspirina sangran con facilidad. Es también el motivo por el que la aspirina no debería ser utilizada cuando se toman anticoagulantes, como la warfarina.

La aspirina interactúa negativamente con el alcohol, los inhibidores ACE y los agentes para prevenir la apoplejía. Nunca debería suministrársele a un niño con síntomas de gripe o resfriado, ya que puede precipitar el síndrome de Reye.

Dosificación

La dosis típica de aspirina es de 325-650 miligramos cada cuatro horas. No tome nunca más de 4 gramos de aspirina al día. Una combinación particularmente potente es paracetamol, aspirina y cafeína; es efectiva incluso en los ataques de migraña moderadamente agudos.

Relajantes musculares

Los relajantes musculares son utilizados a veces en el tratamiento de los dolores de cabeza cuando se ha diagnosticado disfunción muscular. El principal inconveniente de los relajantes musculares es su efecto sedante, especialmente si se mezclan con alcohol. Otros raros efectos secundarios incluyen arritmias, sequedad de boca y retención urinaria. Por estas razones los relajantes musculares no deberían ser empleados en ancianos ni en quienes padezcan del corazón.

ANTIINFLAMATORIOS NO ESTEROIDEOS (AINES)

Los AINEs han surgido como unos de los principales medicamentos frente al dolor de cabeza. El más común es el ibuprofeno, uno de los medicamentos que forman parte de la desconcertante lista de medicamentos vendidos sin receta. Los AINEs no solo son potentes analgésicos, sino que también ejercen acción antiinflamatoria y son usados habitualmente para la artritis. Similares a la aspirina, los AINEs reducen el dolor bloqueando la síntesis de la prostaglandina, un agente químico principal en la mediación del dolor.

La principal desventaja de los AINEs es que pueden irritar el estómago y provocar hemorragias gastrointestinales. Son también causa común de úlceras de estómago. Como con muchas medicaciones contra el dolor, los AINEs pueden aumentar el riesgo de hemorragia y no deberían ser tomados con anticoagulantes. También pueden interactuar con los agentes para regular la tensión, con los diuréticos y con la digoxina. Utilizados adecuadamente, los AINEs pueden aliviar de forma efectiva los dolores de cabeza. Como mejor funcionan es tomándolos al comienzo del ataque; no obstante, su eficacia baja con el aumento de la severidad del ataque.

Dosificación

Para el ibuprofeno, la dosis típica es de 200-800 miligramos cada seis horas. No tome más de 3,2 gramos de ibuprofeno al día.

Agonistas de la serotonina

Tal como ya ha aprendido usted, cierta disfunción de la serotonina se ve implicada en las migrañas y los agentes que actúan sobre los receptores de la serotonina pueden aliviar los síntomas de las migrañas. Los viejos agonistas de la serotonina, como la ergotamina y la dihidroergotamina, estimulaban aleatoriamente distintos receptores, y esto, ocasionalmente, generaba náuseas. Existen muchos tipos diferentes de receptores de serotonina; sin embargo, se cree que solo unos cuantos participan en los ataques de migraña. Mientras los viejos y no selectivos agonistas de la serotonina tienen algunos inconvenientes en comparación con los nuevos, la recurrencia de los dolores de cabeza parece darse con menor frecuencia con el uso de sustancias como la ergotamina.

La ergotamina también ha sido empleada con éxito para el tratamiento de las cefaleas en racimo. Un problema potencial con el uso diario de ergotamina es el ergotismo. Este efecto secundario

reduce la cantidad de ergotamina que puede tomarse semanalmente.

Nuevos agentes, como los triptanos, son llamados agonistas selectivos de la serotonina y tienen un mecanismo de acción más limpio en el que únicamente interactúan con ciertos tipos de receptores de serotonina. Los triptanos (por ejemplo, rizatriptán, sumatriptán y zolmitriptán) representan un nuevo tipo de medicamento para el dolor de cabeza y son utilizados principalmente para tratar las migrañas. Tienen la ventaja del hecho de que en los pacientes con migrañas se observan anormalidades relacionadas con la serotonina. Los triptanos estimulan una subclase de receptores de la serotonina que se encuentran en los nervios y vasos sanguíneos y así logran su efecto antimigraña.

Los triptanos son teóricamente igual de efectivos unos que otros, aunque el rizotriptán actúa más rápidamente y quizás es más efectivo. La rapidez de la acción es importante en el control del dolor y, en general, cuanto más rápida es la acción mejor es el resultado. Los agonistas de la serotonina que más rápidamente actúan son los preparados nasales, como la dihidroergotamina y el sumatriptán. Estos medicamentos son de fácil uso y ofrecen una rápida acción. Sin embargo, tienen muy mal sabor y algunas personas tienen problemas al tomarlos. En parte debido a estas complicaciones, los pulverizadores nasales contra las migrañas solo funcionan en aproximadamente la mitad de la población. Los agonistas de la serotonina como la dihidroergotamina y el sumatriptán también pueden suministrarse en forma de inyección subcutánea. Los agentes que pueden inyectarse parecen ofrecer los mejores resultados y son efectivos en aproximadamente el 80% de aquellos que los emplean.

Si bien los triptanos son efectivos, hasta el 90% de los pacientes sufre efectos secundarios que tienden a ser suaves y breves. Otro inconveniente es que algunos pacientes tienen que tomar otro medicamento con el triptán para obtener un alivio adecuado. Un problema esencial con los triptanos es que los dolores de cabeza tienden a repetirse. Aunque estos inconvenientes no se observan en todos los pacientes, limitan el uso de los triptanos como terapia de agente único. Por último, los triptanos no deberían ser utilizados por personas con enfermedades cardiacas.

ANTAGONISTAS DE RECEPTORES DE DOPAMINA

Los antagonistas de receptores de dopamina, como la metoclopramida y la proclorperacina, son típicos en el tratamiento de la migraña y con frecuencia son suministrados junto con algún otro medicamento. Tal y como se señaló en el Capítulo 2, la estimulación de la dopamina puede inducir síntomas similares a los de la migraña y se han desarrollado medicamentos que antagonizan la dopamina para tratar la migraña. Los antagonistas de receptores de dopamina suelen ser suministrados con otro agente antimigraña, de modo que puedan actuar de forma conjunta.

Una característica beneficiosa importante de los antagonistas de receptores de dopamina es que reducen la náusea y el vómito. Igualmente importante es que contribuyen a la normalización del tránsito intestinal. La motilidad gástrica anormal se ve en las migrañas y puede perjudicar la absorción de los medicamentos. El mayor inconveniente de los antagonistas de receptores de dopamina son sus efectos secundarios, entre los que se incluyen apoplejías, alteraciones de la sangre, alucinaciones, vértigos y fatiga. La sensibilidad a la dopamina es otro efecto secundario potencial descrito en individuos con alteraciones genéticas en los receptores de la dopamina.

Cafeína

¿Es la cafeína un medicamento o un remedio natural? Esta cuestión es objeto de discusión; en cualquier caso, la cafeína se ha utilizado con éxito en el tratamiento de de los dolores de cabeza tensionales y las migrañas y se encuentra con frecuencia en muchas prescripciones y en medicaciones que se venden sin receta. También la contienen muchos alimentos, como el chocolate, y algunas bebidas. Sin lugar a dudas, muchos de quienes padecen estos dolores afirman que varias tazas de café les alivian. Múltiples estudios han documentado la eficacia de la cafeína tanto sola como en combinación con otro agente para los dolores de migraña. Aunque existen riesgos derivados de una elevada ingesta de cafeína, esta resulta claramente efectiva, barata y fácilmente disponible para muchas personas que los padecen.

La otra cara de la moneda es que para algunas personas la cafeína es un detonante de sus dolores de cabeza. Así pues, puede ser de ayuda o bien ser la causa de sus dolores de cabeza. Quienes ingieren habitualmente bebidas con cafeína sabrán si esta les ayuda o les perjudica. Si tiene alguna duda respecto a su reacción, le sugiero experimentar suprimiendo la cafeína para ver si sus dolores de cabeza mejoran o empeoran. Si es un consumidor habitual de cafeína, puede esperar sufrir dolor de cabeza simplemente a causa de la retirada de la cafeína. Dadas las complejidades de la ingestión de la cafeína y el modo en que este agente afecta a los dolores de cabeza, si tiene dudas respecto al modo en que la cafeína afecta a sus cefaleas, debería consultar un médico que pueda ayudarle a determinar si esta sustancia es una "amiga" o una "enemiga".

EXTÉRIEUR / INTERIOR
SPECIA
FLUO
ESPECIA
FLUO
POUR TOUS SUP
PARA TODO TIPO DE
PARA TODO O TIPO DE

Butorfanol y narcóticos

El butorfanol es un agente nasal conocido también como Stadol (su nombre comercial) y es utilizado en el tratamiento del dolor. Su uso es limitado porque se trata de un narcótico. Los narcóticos son los más potentes calmantes del dolor y los hay de diversos tipos. El principal problema con los narcóticos es que pueden ser adictivos y causar múltiples efectos secundarios, como sedación y estreñimiento. El uso de narcóticos, como el hidrocodone (Vicoden) u oxicodone (Percodan), puede ser especialmente problemático porque la retirada de estos agentes podría causar dolores de cabeza que pueden resultar difíciles de distinguir de las migrañas.

Terapia profiláctica

Para aquellos que sufren al menos tres ataques mensuales de migraña, el uso de medicación profiláctica (preventiva) debería ser firmemente considerado. El mayor inconveniente de la terapia profiláctica es que la medicación ha de ser tomada a diario y los resultados no se perciben hasta pasadas seis semanas. Una buena cantidad de fármacos está disponible para la terapia profiláctica e incluye antidepresivos tricíclicos, medicamentos contra la apoplejía, beta-bloqueantes, agentes relacionados con la serotonina y, ocasionalmente, inhibidores de la monoamina oxidasa (IMAOs). Los IMAOs raramente son empleados hoy en día, ya que tienen múltiples interacciones con otros medicamentos y reaccionan con los alimentos que contienen tiramina.

CONCLUSIÓN

Espero que este libro le haya ayudado a saber más de los dolores de cabeza y cómo prevenirlos y tratarlos. Tal y como ha visto, hay muchos tipos de dolores de cabeza, que van desde una leve molestia hasta un episodio agudo, repetitivo y debilitante. Aunque la mayoría de los dolores de cabeza son benignos, espero que haya aprendido cómo distinguir entre una migraña común o un dolor de cabeza tensional y algo más serio. Afortunadamente, la mayoría de los dolores de cabeza son benignos e, indudablemente, susceptibles de prevenirse. Analice los dolores de cabeza en el contexto de su estilo de vida. ¿Nota que sus síntomas tienen lugar tras ingerir determinados alimentos o experimentar episodios estresantes? Si es así, trate de eliminar estos alimentos de su dieta. Si el estrés es el principal detonante de los dolores de cabeza, haga cuanto pueda para minimizar el estrés en su vida. Soy consciente de que decir esto es mucho más sencillo que llevarlo a la práctica en el mundo en que vivimos; sin embargo, reducir el estrés es una situación en la que uno solo puede salir ganando. Si no consigue reducirlo, considere firmemente alguna de las terapias alternativas señaladas en el Capítulo 4, como el ejercicio o el biofeedback, que no solo pueden ayudar con los dolores de cabeza, sino también en la reducción del estrés.

Si una simple modificación del estilo de vida no funciona, considere el uso de suplementos, un tema ampliamente abordado en el Capítulo 3. Probar ensayo y error puede ser necesario en el proceso de encontrar el suplemento adecuado; no obstante, la mayoría de las personas puede encontrar uno o dos que funcionen. Encontrar el suplemento adecuado puede ser algo más difícil para quienes sufren dolores de cabeza agudos. Las personas con dolores de cabeza severos pueden tener que utilizar más de un suplemento; no obstante, incluso aquellas con síntomas severos pueden obtener beneficios.

Igualmente importante es combinar el uso de suplementos con alguna terapia alternativa, como el ejercicio o la acupuntura, métodos que pueden actuar sinérgicamente contribuyendo a aliviar sus síntomas. Al igual que con la mayoría de los problemas médicos, la farmacoterapia, tal y como se discute en el Capítulo 5, es otra vía de tratamiento; sin embargo, así como está claramente

indicada en ciertos individuos, debería ser utilizada como último recurso. Igualmente, elija a un profesional de salud con el que pueda desarrollar una relación de confianza y le ayude a guiarse entre las diversas terapias.

Tal vez el mensaje más importante es que para muchas personas los síntomas del dolor de cabeza no tienen que interferir en su vida y se pueden prevenir. Indudablemente, muchos dolores de cabeza se precipitan por el estrés, las comidas o las alergias. Identificar y eliminar estos detonantes es un paso clave para lograr el alivio de los dolores de cabeza. Tome control de sus cefaleas- ¡no permita que sus dolores de cabeza le controlen a usted! Muchos de los consejos contenidos en este libro pueden resultar de utilidad para hacer su hogar y su vida más sanos. Mientras una dieta adecuada combinada con un uso sensato de suplementos puede ayudarle a sumar saludables años a su vida, es igualmente importante vivir sanamente. Lo que entiendo por "vivir sanamente" implica adoptar un programa de dieta saludable, sueño adecuado, ejercicio regular y una actitud positiva hacia la vida que le capacitará para disfrutar muchos más años activos y sin problemas. A pesar de que muchos dolores de cabeza tienen lugar por sí mismos, un porcentaje significativo de cefaleas resulta de detonantes conocidos. Debe tratar de identificar estos detonantes y eliminarlos de su vida y de su hogar. Los dolores de cabeza son una parte de la vida y para superarlos tenemos que aprender a vivir de otra manera. Aprenda a controlar su vida e implíquese en un programa diario de vida sana. Elimine esos detonantes que están afectando a su vida y no solo superará sus dolores de cabeza, sino que también se convertirá en el dueño de su propio destino.

Índice analítico

5-HTP 42, 92, 93
Aceite de oliva 99
Aceite de pescado 99
Ácido acetilsalicílico 76, 147
Acupuntura 11, 118, 120, 121, 123, 162
AGEs 97
Agonistas 144, 151, 153, 154
Ahmed 123
AINEs 53, 89, 150, 167
Aminas 29
Aminoácidos 43, 68
Amitriptilina 128, 129
Antagonistas 144, 154, 155
Antidepresivos 53, 55, 93, 159
Arteritis 15, 19, 21, 22
Aspartamo 29
ATP 65, 68
Biofeedback 11, 49, 53, 107, 108, 124, 125, 126, 137, 162

Butorfanol 158
Cafeína 29, 53, 76, 149, 155, 156
Calcio 68, 74, 75, 76
Capsaicina 36, 85, 86, 88
Carbohidratos 30
Chocolate 29, 44, 156
Citoquinas 97
Coenzima Q10 94, 96
DHA 97
Dihidroergotamina 36, 151, 153, 154
Dopamina 42, 43, 102, 144, 154, 155
Ergotamina 36, 151, 153
Ergotismo 153
Esteroides 36
Glaucoma 16, 18, 19
IMAOs 159
L-5-hidroxitriptófano 53, 55, 92
Leucotrienos 97
Litio 36
Lupus 18
Melatonina 35, 36, 43, 100, 101, 102
Melchart 121
Meningitis 14, 21, 23, 24
Metoprolol 120
MHF 39
Neuralgias 19
Neurotransmisores 35, 42
Niacina 76, 78, 79
Osteoartritis 85
Oxicodone 158

PENS 123, 124, 171
Prednisona 36
Riboflavina 68, 70, 71
Sal 30
SAMe 102, 105
Serotonina 30, 35, 42, 43, 76, 92, 93, 144, 151, 153, 154, 159, 167
Sinusitis 18, 19
Sistema inmunológico 108
Tabaco 57
TENS 121, 124
Triptófano 29, 30, 76, 173
Verapamil 36
Vicoden 158, 172
Vitamina B12 71, 73, 74, 169
Vitamina B2 68, 71
Vitamina B6 68, 71, 175
Vitamina D 74, 75

NUTRIFARMACIAS *ONLINE*

www.casapia.com
Reus, Tarragona, España.

www.facilfarma.com
Cambados, Pontevedra, España.

www.naturallife.com.uy
Montevideo, Uruguay.

www.farmaciasdesimilares.com.mx
México DF. México.

www.laboratoriosfitoterapia.com
Quito, Ecuador

www.farmadiscount.com
Lugo, España.

www.hipernatural.com
Madrid, España

www.biomanantial.com
Madrid, España

www.herbolariomorando.com
Madrid, España

www.mifarmacia.es
Murcia, España.

www.tubotica.net
Huelva. España.

www.elbazarnatural.com
Orense, España.